Dorn · Bader

Physik

Gymnasium

Lösungen   SEK I

Schroedel

Seite 8

A 1: Man verzichtet auf das Überlaufverfahren und markiert einfach den Anstieg des Wasserspiegels. Nach dem „Ausstieg" füllt man die Wanne mit einem Litermaß bis zur oberen Markierung und hat so das eigene Körpervolumen.

Seite 11

A 1: Periodendauer: $T = \frac{4}{3}$ s;
Frequenz: $f = 0{,}75$ Hz = Zahl der Perioden je s.

A 2: $f = 440$ Hz: $T = 0{,}002273$ s;
$f_1 = 443$ Hz: $T_1 = 0{,}002257$ s.

A 3: Man muss die Pendellänge vergrößern. Die Amplituden haben keinen Einfluss auf die Periodendauer.
Die doppelte Frequenz wird bei einem Viertel der Fadenlänge erreicht.

Seite 13

A 1: a) $T = 1/f = 0{,}02$ s.
b) Vgl. Bild 3 auf Seite 12 und Bild 4e auf Seite 13. Wähle 2 cm für die Amplitude und $2\,T \triangleq 8$ cm auf der Zeitachse.
c) Periodendauer $T_1 = 2$ cm.
d) Wähle die entsprechenden Amplituden.

A 2: a) Zeit für eine Umdrehung: $T = 60$ s/$45 = 1{,}33$ s.
b) Auf dem Vollkreis liegen $4 \cdot 42{,}5 = 170$ Perioden. In 1 s werden $170/1{,}33$ s $= 127{,}5$ Perioden geschrieben. Die Frequenz beträgt also $f = 127{,}5$ Hz.

A 3: a) $5\,T = 0{,}002$ s; $f = 1/T = 5/0{,}002$ s $= 2500$ Hz.
1 Periode sieht man bei genau 500 Hz.

Seite 15

A 1: Die Tonhöhe messen wir mit der Frequenz, die Lautstärke beschreiben wir mit der Amplitude.
Bei konsonanten Klängen liegen einfache Frequenzverhältnisse vor, bei dissonanten nicht.

Seite 19

A 1: Die Geschwindigkeit v bei einer gleichförmigen Bewegung ist definiert als Quotient aus zurückgelegtem Weg s und der dazu benötigten Zeit t: $v = s/t$.

A 2:
Stuttgart – Mannheim $\quad v = 2{,}74$ km/min
Mannheim – Flughafen Fft./M.: $\quad v = 2{,}48$ km/min
Flughafen Fft./M. – Frankfurt $\quad v = 1{,}00$ km/min
Frankfurt – Kassel $\quad v = 2{,}38$ km/min
Kassel – Göttingen $\quad v = 2{,}44$ km/min
Göttingen – Hannover $\quad v = 3{,}09$ km/min
Stuttgart – Hannover $\quad v = 2{,}50$ km/min

A 3: Aus der Ruhe fährt der ICE an, er wird schneller bis er seine Reisegeschwindigkeit erreicht hat. Dann fährt er mit nahezu konstanter Geschwindigkeit weiter, wird mal ein wenig schneller oder langsamer – je nach Strecke. Schließlich bremst er bei Erreichen des nächsten Halteortes ab bis zum Stillstand.

A 4: Die 3. Gerade verläuft steiler als die hellgrüne.

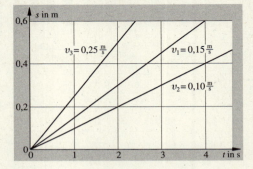

A 5: Sieger: $\quad v = 100$ m/$13{,}7$ s $= 7{,}30$ m/s
Zweiter: $\quad v = 98{,}5$ m/$13{,}7$ s $= 7{,}19$ m/s
Dritter: $\quad v = 96{,}4$ m/$13{,}7$ s $= 7{,}04$ m/s
Weltrekord $\quad v = 100$ m/$9{,}79$ s $= 10{,}21$ m/s
(Stand Juli 2001)

A 6: $v = 511$ km/$4{,}5$ h $= 113{,}56$ km/h

Seite 21

A 1: $t = 0$ s: $s = v \cdot t = 0{,}30$ m/s $\cdot 0$ s $= 0$ s
$t = 1$ s: $s = 0{,}30$ m/s $\cdot 1$ s $= 0{,}30$ s
$t = 2$ s: $s = 0{,}30$ m/s $\cdot 2$ s $= 0{,}60$ s
$t = 3$ s: $s = 0{,}30$ m/s $\cdot 3$ s $= 0{,}90$ s
$t = 4$ s: $s = 0{,}30$ m/s $\cdot 4$ s $= 1{,}20$ s

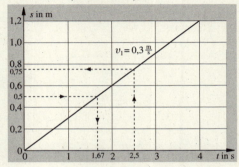

$t = 2{,}5$ s: $s = 0{,}30$ m/s $\cdot$ 2,5 s = 0,75 s
$s = 0{,}5$ m: $t = s/v = 0{,}5$ m/(0,3 m/s) = 1,67 s

A 2: Man misst die Zeit, die das Auto für die Strecke zwischen zwei Leitpfosten benötigt. Bei einer Geschwindigkeit von 100 km/h legt das Auto in jeder Sekunde 27,78 m zurück. Für eine Strecke von 50 m werden dann 1,8 s benötigt. Da diese kurze Zeit nicht leicht zu messen ist, sind längere Teststrecken sinnvoller, z. B. die Zeit für das Vorbeifahren an 10 Leitpfosten.

A 3: Der Schall braucht knapp 0,3 s für 100 m. Die Läuferin hat einen Vorteil, da der Zeitnehmer die Uhr 0,3 s zu spät startet.
Das Licht benötigt für 100 m nur eine Drittel Mikrosekunde. Das ist viel weniger als die Genauigkeit der Zeitmessung bei Sportveranstaltungen (ca. eine Tausendstel Sekunde).

A 4: Licht braucht 500 s = 8,3 min für die 150 Mio. km.
Ein Lichtjahr ist ungefähr 9,5 Billionen km (9,5 Millionen Millionen km) lang.

A 5: $v = 40000$ km/24 h = 1667 km/h

A 6:

s in m	0,4	0,8	1,2	1,6
t in s	0,0013	0,0024	0,0036	0,0048
v in m/s	308	333	333	333
t in s	0,0011	0,0022	0,0034	0,0046
v in m/s	364	364	353	348

A 7: In 0,5 s legt ein Auto bei einer Geschwindigkeit von 50 km/h (30 km/h) einen Weg von 6,9 m (4,2 m) zurück. Der Weg bis zum Stillstand beträgt demnach 26,9 m (11,2 m).

A 8: Nach 3 h 45 min ist die Autofahrerin 300 km von Stuttgart entfernt.
$t = s/v = 400$ km/(80 km/h) = 5 h. Nach 5 h Fahrzeit war sie 100 km vor Hannover.
Mit 25 min Pause nach 3 h hat sie diesmal nach 3 h 45 min 267 km/h zurückgelegt. 100 km vor Hannover ist sie jetzt 25 min später, also nach 5 h 25 min.

Seite 23

A 1: $s = v \cdot t$, also $s = 340$ m/s $\cdot$ 6 s ≈ 2 km.

Seite 29

A 1: a) Kraftwirkungen; Schülernennungen
b), c) Begriffe im *nichtphysikalischen* Sinne:
Waschkraft, Überzeugungskraft, Leuchtkraft, Arbeitskraft, Aushilfskraft, ...
Begriffe im *physikalischen* Sinne:
Muskelkraft, Windkraft Gewichtskraft, Gegenkraft, Haftkraft, Hubkraft, Reibungskraft, Spannkraft, Zugkraft

A 2: *Werfer:* Meine Muskeln sind völlig angespannt, um den Ball mit möglichst großer Kraft auf das Tor werfen zu können.
Zuschauerin: Der Spieler übt auf den Ball eine Kraft aus, um ihn möglichst scharf auf das Tor werfen zu können.
Torwart: Ich muss den scharf geworfenen Ball mit großer Kraft abbremsen oder um das Tor herum lenken, damit kein Tor fällt.

A 3: Durch die Schläge wird der Sandsack *verformt* und *in Bewegung gesetzt*.

A 4: Die Besaitung ist und auch der Ball sind stark eingedrückt; offensichtlich wirken große Verformungskräfte an Saiten und Ball. Der Ball wurde stark abgebremst und wird in den nächsten Augenblicken wieder beschleunigt.

A 5:

„Ball ...	Wörtlich	Intention
... gehalten"	Der Ball wird vom Spieler „getragen".	Der Torwart fängt den Ball. Oder: Ein Spieler hält den Ball unter Kontrolle.
... abgewehrt"	Der Spieler löst sich aus dem Angriff des Balles.	Der Ball wird durch Richtungsänderung am Tor vorbeigelenkt.
... verlängert"	Der Ball erhält eine längliche Form.	Der Ball erhält eine zusätzliche Kraft in Wegrichtung.

Seite 31

A 1: (Schüler-Beispiele)

A 2: Der Magnet übt keine erkennbare Kraft auf sich selbst aus. Die magnetische Kraft tritt erst durch einen Probekörper, z. B. aus Eisen auf.
Die Kraft kann mit einem Kraftmesser gemessen werden.

Der Betrag der magnetischen Kraft hängt von der Größe und vom Abstand des Probekörpers zum Magneten ab.

A 3: Im *oberen Bild* wirkt die Kraft in Bewegungsrichtung der Kugel. Sie behält diese Richtung bei und wird immer schneller.
Im *mittleren Bild* wirkt die Kraft gegen die Bewegungsrichtung. Die Kugel ändert ihre Bewegungsrichtung nicht; sie wird aber immer langsamer.
Im *unteren Bild* wirkt die Kraft senkrecht zur Bewegungsrichtung der Kugel. Die Kugel bleibt gleich schnell; sie ändert aber ihre Bewegungsrichtung.

A 4: Ja, beim Tritt gegen einen Fußball wird dieser zunächst *verformt*. Dann ändert sich sein *Bewegungszustand*.

A 5: Die Lösung zeigt Bild 4 auf Seite 30, wenn die drei rechten Kraftmesser mehr als 100 N messen können.

Seite 33

A 1: Die Gewichtskraft zeigt auf der Erde überall auf den gedachten „Erdmittelpunkt". Da der Weitgereiste an seinem jeweiligen Aufenthaltsort wenig von der Kugelgestalt der Erde bemerkt, stimmen beide Aussagen.

A 2: Wir hängen den Expander an einem Deckenhaken auf und bestimmen die Expanderverlängerung, wenn die Schülerin Ina am Expander hängt. Diese so ermittelte Verlängerung wird mit der aus Bild 3, Seite 29 verglichen.
Nein, die Gewichtskraft wäre nicht überall gleich groß.

A 3: Um die Kräfte 2 bzw. 3 „Knet" zu erzeugen, benötigen wir zwei bzw. drei Knetklumpen, die einzeln jeweils die Kraft 1 „Knet" auf das Gummiband ausüben (jeweils die gleiche Verlängerung bewirken).
Werden zwei bzw. drei dieser Knetklumpen gleichzeitig an das Gummiband gehängt, so entsprechen die Verlängerungen den Kräften 2 „Knet" bzw. 3 „Knet". Die gemessenen Verlängerungen müssen sich dabei nicht verdoppeln oder verdreifachen.
Um 0,5 „Knet" zu erhalten, müssen wir zwei Knetklumpen herstellen, die unter sich die gleiche Gewichtskraft und zusammen die Gewichtskraft 1 „Knet" erfahren.
Wir hängen den 1 „Knet"-Klumpen an einen Newton-Kraftmesser.

A 4: Kraftmesser bestehen hauptsächlich aus Federn, die beim Messen verlängert werden. Die gleichmäßigen Skalen von Kraftmessern erinnern an Längenmaßstäbe.
Die bloße Angabe einer Federverlängerung ist dennoch abzulehnen, weil es Kraftmesser mit unterschiedlichen Messbereichen gibt. Die gleiche Verlängerung entspricht also nicht stets der gleichen Kraft.

KRÄFTE UND ZUSAMMENWIRKEN VON KRÄFTEN

A 5: Die beiden großen Kugeln müssen so gedreht werden, dass sich K_2' der vorderen kleinen Kugel K_1 von *rechts* nähert.

A 6: An der Kraftübertragung insgesamt ändert sich nichts. Die Kraft wird lediglich auf zwei bzw. vier Fäden aufgeteilt. Dieses geschieht gleichmäßig, wenn keine Reibung auftritt.

A 7: Da die Innenhülse selbst eine Gewichtskraft erfährt, muss der Nullpunktschieber etwas
- herausgezogen (Kraft nach unten) werden,
- hineingeschoben (Kraft nach oben) werden.

Seite 35

A 1: Auf dem Mond hat $1\,\ell$ Wasser die Masse 1 kg und erfährt die Gewichtskraft 1,6 N.

A 2: a) Federn sind zum Massenvergleich *nur am gleichen Ort* geeignet.
b) Kraftmesser mit einer Skala in kg wären nur an einem Ort korrekt.

A 3: a) Urkilogramm auf dem Mond: $m = 1$ kg; $G = 1,6$ N.
b) kg- und g-Aufschriften sind ortsunabhängig.

A 4: Masse bedeutet einen ortsunabhängigen „Besitzstand"; die Gewichtskraft braucht das Einwirken eines anziehenden Körpers.

A 5: Da die Masse ortsunabhängig ist, hat der Aufbewahrungsort keinerlei Bedeutung.

A 6: Der Wägesatz dient uns zum Vergleichen von Massen. Das „Gewicht" – als Gewichtskraft aufgefasst – ist ortsabhängig.

A 7: Annis Behauptung ist falsch. Susi könnte so argumentieren:
Die Kruste gibt dem Wägestück mehr Masse als der Angabe entspricht. Die Waage vergleicht die Gesamtmassen; also ist die Zuckermasse größer als 1 kg.

A 8: Auf dem Mond würden diese Waagen falsche Werte anzeigen.

Seite 37

A 1: Die fallenden Steine haben für sich kein Gewicht. Die von außen einwirkende Gewichtskraft ist für das Schnellerwerden beim Fallen verantwortlich.
Man denke an „Fallversuche" im Weltraum weitab von anziehenden Himmelskörpern.

A 2: a) Die Angaben dieser Personenwaagen lassen die Ortsabhängigkeit der Gewichtskraft unberücksichtigt. Sie können also nur ungefähr stimmen, z. B. für Mitteleuropa. Solche Waagen sind für den „geschäftlichen und amtlichen Verkehr" nicht zugelassen.
b) Die Masse einer Warenmenge ist überall gleiche. Die Gewichtskraft jedoch hängt vom Ort ab.
Balkenwaagen messen genauer als Federkraftmesser.

A 3: Mit einem Kraftmesser;
an den Polen bekäme man am wenigsten, auf dem Mond am meisten Erbsen.

A 4: Nein, Massen sind ortsunabhängig.

A 5: a) Ja, mit einer Balkenwaage lassen sich Gewichtskräfte vergleichen.
Wenn der Ortsfaktor g bekannt ist, lässt sich aus der Masse m der Betrag der Gewichtskraft mit $G = m \cdot g$ berechnen.
b) $G_{Mond} = 1,6$ N/kg $\cdot$ 84 kg $= 134$ N,
$G_{Mars} = 3,7$ N/kg $\cdot$ 84 kg $= 311$ N,
$G_{Jupiter} = 26$ N/kg $\cdot$ 84 kg $= 2184$ N.
Die Betrag der Gewichtskraft des Tornisters auf dem Jupiter wäre wohl zu groß für einen Menschen.

A 6: Mit $m = G/g$ können wir für Erde, Mond, Jupiter und Venus als Masse $m = 1$ kg bestimmen.
Für das Weltall ist die Formel aber nicht anwendbar. Die Masse m ist hier beliebig; im Weltall herrscht Schwerelosigkeit.

A 7: Nordpol: $G = 983$ N,
Mitteleuropa: $G = 981$ N,
Äquator: $G = 978$ N,
Differenz: 983 N $- 978$ N $= 5$ N.

A 8: Venus: $g = 8,5$ N/kg;
$m = G/g$, also $m = 43$ N/(8,5 N/kg) $= 5,1$ kg.

Masse m	Betrag G der Gewichtskraft	Ortsfaktor $g = G/m$
1,00 kg	8,5 N	8,5 N/kg
0,50 kg	4,3 N	8,6 N/kg
0,30 kg	2,6 N	8,7 N/kg
0,20 kg	1,7 N	8,5 N/kg
0,10 kg	0,9 N	9,0 N/kg

A 9: Kraftmesser für Gewichtskraftbetrag $G = 74$ N,
Balkenwaage für Masse $m = 20$ kg.
Ortsfaktor $g = G/m = 74$ N/20 kg $= 3,7$ N/kg.
Nach Tabelle 2, Seite 36 sind sie auf dem Mars gelandet.

A 10: Dieser Laie hat offensichtlich 500 g Erbsen, die auf dem Planeten eine Gewichtskraft von 13 N erfahren. Damit lässt sich der Ortsfaktor aus $g = G/m$ bestimmen:
$g = 13$ N/0,5 kg = 26 N/kg.
Unser Laie befindet sich wohl auf dem Jupiter.

A 11: Masse des Platins:
$m = G/g = 10,00$ N/(9,83 N/kg) = 1,017 kg.
$G_{\text{Äquator}} = 1,017$ kg $\cdot$ 9,78 N/kg = 9,95 N,
$G_{\text{Höhe}} = 1,017$ kg $\cdot$ (0,25 $\cdot$ 9,8 N/kg) = 2,50 N,
$G_{\text{Mond}} = 1,017$ kg $\cdot$ 1,6 N/kg = 1,63 N,
$G_{\text{Jupiter}} = 1,017$ kg $\cdot$ 26 N/kg = 26,44 N.

A 12: Balkenwaagen bestimmen Massen und vergleichen Gewichtskräfte. Die Aussage des Forschers kann so nicht stimmen.

A 13: Der Kohlenberg im Keller erhöhte die auf den Körper wirkende Gewichtskraft geringfügig. Im Laufe des Winters nahm der Kohlenberg und damit die zusätzliche Gewichtskraft ab.
Solche Messungen sind nur mit Präzisions-Federkraftmessern (sog. Gravimetern) möglich.

Seite 39

A 1: Es handelt sich hier offensichtlich um zwei verschiedene Holzproben. Die Messwerte 1 bis 3 gehören zu einer „leichteren" Holzsorte entsprechend der grafischen Darstellung in Bild 2.
Die Messwerte 4 und 5 gehören zu einer „schwereren" Holzsorte.

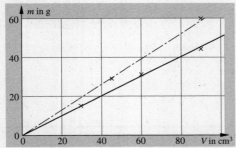

A 2: a) Man zeichnet eine Parallele zur m-Achse durch $V = 20$ cm^3.
b) Man zeichnet eine Parallele zur V-Achse durch $m = 50$ g bzw. $m = 100$ g.

A 3: a) Ablesen liefert: $V = 20$ cm^3.
Rechnung liefert: $V = m/\rho = 54$ g/(2,7 g/cm^3) = 20,0 cm^3.
b) Ablesen liefert: $m = 82$ g.
Rechnung liefert: $m = \rho \cdot V = 2,70$ g/cm^3 $\cdot$ 30 cm^3 = 81 g.

A 4: Masse:
$m = \rho \cdot V = 2,5$ g/cm^3 $\cdot$ 0,8 cm $\cdot$ 400 cm $\cdot$ 200 cm
$= 160000$ g = 160 kg.
Gewichtskraft der Scheibe auf dem Mond:
$G = m \cdot g = 256$ N.

A 5: Marmor mit $V = 1$ m^3 hat eine Masse von $m = 2,5$ t.
Gewichtskraft bei uns: $G \approx 25000$ N.
Gewichtskraft auf dem Mond: $G \approx 4000$ N.

A 6: $V = m/\rho = 1000$ g/(0,79 g/cm^3) = 1266 cm^3.
1 ℓ Quecksilber hat eine Masse von 13,55 kg. Dieselbe Masse haben 17,2 ℓ Alkohol.
Rechnung: $V = m/\rho = 13,55$ kg/(0,79 kg/ℓ) = 17,2 ℓ.

A 7: $V_1 = V_2$, also $m_1/\rho_1 = m_2/\rho_2$. Daraus folgt
$m_1/m_2 = \rho_1/\rho_2$.
$m_1 = 3\, m_2$, also $\rho_1 = 3\, \rho_2$.
$m_1 = m_2$, also $V_1 \cdot \rho_1 = V_2 \cdot \rho_2$.
Daraus folgt für $V_1 = 5\, V_2$: $\rho_1 = \frac{1}{5} \rho_2$.

A 8: Schwamm 1: $\rho_1 = m_0/V_0$,
Schwamm 2: $\rho_2 = 2\, m_0/2\, V_0 = \rho_1$,
Schwamm 3: $\rho_3 = 2\, m_0/V_0 = 2\, \rho_1$,
Schwamm 4: $\rho_4 = m_0/0,5\, V_0 = 2\, \rho_1$.

A 9: a) $V = m/\rho = 100$ g/(0,017 g/cm^3) = 5882 cm^3.
b) Styroporvolumen in 1 cm^3 Schaumstoff:
$V_{\text{Styropor}} = 0,017$ g/(1,7 g/cm^3) = 0,01 cm^3;
Luftvolumen in 1 cm^3 Schaumstoff:
$V_{\text{Luft}} = 0,99$ cm^3.

Seite 41

A 1:

Federhärte	Verlängerung			
	2 cm	4 cm	6 cm	8 cm
$D_1 = 1$ N/m	0,02 N	0,04 N	0,06 N	0,08 N
$D_2 = 10$ N/m	0,2 N	0,4 N	0,6 N	0,8 N
$D_3 = 100$ N/m	2,0 N	4,0 N	6,0 N	8,0 N

Zur härtesten Feder (D_3) gehört die steilste Gerade.

A 2: a) $D_A = F/s_A = 2,0$ N/0,12 m = 16,7 N/m;
$D_B = F/s_B = 2,0$ N/ 0,04 m = 50,0 N/m.
Dreifache Verlängerung bei gleicher Kraft bedeutet D sinkt auf ein Drittel.
b) Bei doppelter Kraft und gleicher Verlängerung ist $D_C = 2 \cdot D_D$.

A 3: a) Zur Bestimmung der Verlängerung s zeichnen wir eine Parallele zur s-Achse durch $F = 150$ cN.

KRÄFTE UND ZUSAMMENWIRKEN VON KRÄFTEN

- härtere Feder: $s = 7,5$ cm;
- weichere Feder: $s = 15,0$ cm.

Zur Bestimmung der Kraft F zeichnen wir eine Parallele zur F-Achse durch $s = 15$ cm.

- härtere Feder $F = 300$ cN;
- weichere Feder $F = 150$ cN.

b) Für die steilere Gerade gilt, dass für die gleiche Verlängerung eine größere Kraft benötigt wird. Bei vertauschten Achsen ist es genau umgekehrt.

c) Je steiler die s-F-Kurve, desto härter ist das Gummiband. Das Gummiband ist bei kleinen Verlängerungen (bis ca. 30 cm) besonders „weich"; später wird es zunehmend „härter".

A 4: Bei Federn, die das hookesche Gesetz erfüllen, ist auch der Quotient s/F konstant. Der Wert dieses Quotienten nimmt bei härteren Federn ab. Er beschreibt das Verhalten der Federn gleichwertig; die Zahlenwerte entsprechen aber nicht unseren Vorstellungen von einer „härteren" Feder (größere Kraft bei gleicher Verlängerung).

A 5: $D = 10$ cN/cm $= 0,1$ N/cm $= 10$ N/m.
Die Schlussfolgerung dürfte für die meisten Federn falsch sein, da diese bei einer Verlängerung von 1 m längst überdehnt sind. In den Grenzbereichen ändert sich D.

A 6: a) $D = F/s = 40$ cN/6 cm $= 80$ cN/12 cm $= 6,7$ cN/cm.
$F = 60$ cN: $s = F/D = 9$ cm;
$F = 5$ cN: $s = 0,75$ cm.
Für $F = 10$ N könnte die Feder überdehnt werden.
b) $F = 46,9$ cN; $m = 29,0$ g.

A 7: $F = D \cdot s = 100$ cN/cm $\cdot 7,6$ cm $= 760$ cN $= G$;
$g = G/m = 7,6$ N/2,0 kg $= 3,8$ N/kg. Sie sind also auf dem Mars gelandet.

A 8: Die Kraft $F = 1$ N ist für beide Federn gleich. Jede Feder wird um 10 cm verlängert. Die Gesamtverlängerung beträgt also 20 cm.
Die Federkette besitzt eine Härte von $D = 1$ N/20 cm $= 0,05$ N/cm. Sie ist somit weicher als die Einzelfedern.

A 9: Für die Federkombination gilt: $D_{Ges} = F/s = 1,0$ N/13,3 cm $= 0,075$ N/cm.
Der Zusammenhang zwischen den drei Federhärten lautet:
$$\frac{1}{D_{Ges}} = \frac{1}{D_1} + \frac{1}{D_2}.$$
(Druckfehler in 1. Auflage: $s = 2,5$ cm.)

A 10: a) $D_{Ges} = F/s = 0,6$ N/1,5 cm $= 0,4$ N/cm
$= 2 \cdot 0,2$ N/cm.
b) allgemein gilt: $D_{Ges} = D_1 + D_2 + ...$
(Druckfehler in 1. Auflage: $s = 6$ cm.)

A 11: $F = D \cdot s = 100$ N/cm $\cdot 12$ cm $= 1200$ N.

A 12: Zunächst ist das Gummiband weich, d. h. einer kleinen Kraft entspricht eine große Verlängerung des Bandes. Wird die Kurve steiler, so bedeutet das abnehmende Verlängerungen bei gleichen Kräften. Am Schluss verhält sich das Gummiband wie eine harte Feder: einer großen Kraft entspricht eine kleine Verlängerung.
In dieser Phase wird das Gummiband überdehnt, d. h. es kommt zu einer bleibenden Verlängerung. Diese ist im unteren Teil der Kurve abzulesen: sie beträgt etwa 15 cm.

A 13: Für die ersten fünf Messwertpaare liegt die Federhärte D bei knapp 5 N/cm. Für diese Werte gilt das hookesche Gesetz. Für die beiden letzten Messwertpaare berechnen wir D zu 4,1 N/cm bzw. 3,9 N/cm.

Seite 43

A 1: Die Summe aller nach rechts wirkenden Kräfte beträgt 1355 N; die Summe der drei bekannten, nach links wirkenden Kräfte beträgt 1030 N. Also beträgt die achte Kraft 1355 N – 1030 N = 325 N.

A 2: Ein Luftballon kann verformt werden, indem man mit beiden Händen an ihm zieht oder auf ihn drückt. Zugverformung: Gummiband oder dünne Folie; Druckverformung: Radiergummi oder Feder im Kugelschreiber.

Seite 45

A 1: Zunächst ist bei Abwärtsbewegung die nach oben gerichtete Seilkraft (Betrag F) kleiner als die nach unten gerichtete Gewichtskraft (Betrag $G = 10$ N): $F < 10$ N. Gleichmäßige Fahrt nach unten: $F = 10$ N (wie in Ruhe). Beim Abbremsen überwiegt die nach oben gerichtete Seilkraft: $F > 10$ N.

A 2: Aufgrund der Trägheit der Gegenstände treten beim Anfahren, bei Kurvenfahrt und vor allem beim Abbremsen Kräfte auf, die bei ungenügender Befestigung der Gegenstände zur Fortbewegung von ihrem Untergrund führen.

A 3: In einem Auto, auf das ein anderes von hinten auffährt, erfährt ein Insasse mithilfe der Rückenlehne eine Bewegungsänderung nach vorn, nicht jedoch sein Kopf; er wird daher möglicherweise lebensgefährlich abgewinkelt. Die Kopfstützen vermeiden dies.

A 4: Beim langsamen Wegziehen bleibt die Münze auf der Karte liegen, denn wegen der Rauigkeit der Karte wird die Münze trotz ihrer Trägheit mitgenommen. Wenn die Karte eine heftige Bewegungsänderung erfährt, bewegt sich die Münze nicht vorwärts, sie fällt ins Glas; denn um die

Münze mit der Karte schnell in Bewegung zu setzen, wird eine größere Kraft benötigt, als die Karte übertragen kann.

Seite 47

A 1: Die Änderung der Geschwindigkeit beträgt bei der U-Bahn im ersten 5 s-Abschnitt 18 km/h, im nächsten 16 km/h, danach 11 km/h, danach 9 km/h. Dieser ungleichen Beschleunigung entspricht die Krümmung des Graphen im Diagramm mit kleiner werdender Steigung.
Der ICE erhält in allen vier 5 s-Abschnitten eine gleich große Geschwindigkeitszunahme; sein Graph verläuft geradlinig mit konstanter Steigung.

A 2: Fußball, Handball und Hockey – vor allem beim Strafstoß; Tennis; Kugelstoßen; Speerwurf; Bogenschießen.

A 3: Die Trägheit des Mopeds einschließlich Benutzer ist größer als zuvor. Die Antriebskraft bleibt dadurch unverändert; das Moped wird folglich geringer beschleunigt. Sollte das Moped ebenso beschleunigen wie mit nur einer Person, dann müsste die Antriebskraft vergrößert werden.

A 4: Durch Schütteln der Dose bewirkt man Bewegungsänderungen. Bei einer vollen Dose muss man aufgrund ihrer größeren Trägheit größere Kräfte aufwenden.

Seite 49

A 1: Das Boot fährt infolge der Kraft, die man beim Sprung ausübt, vom Ufer fort. Die Gegenkraft greift am Springenden an und beschleunigt ihn zum Land hin.

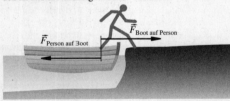

A 2: Die Gegenkraft des Startblocks wirkt nach vorn und beschleunigt den Läufer. Liegt der Startblock nur locker auf der Bahn, kann der Läufer keine Kraft auf ihn ausüben – dann gibt es auch keine Gegenkraft; ein Start misslingt.

A 3: Die Druckfeder bringt an der Trittfläche eine Kraft auf, die gegengleich ist zu der Gewichtskraft der Person (Kräftegleichgewicht).

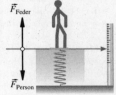

Seite 51

A 1: Die Reibungskraft ist auf rauem Betonboden relativ groß, auf gefliestem Fußboden relativ klein. Die Reibung auf Holzböden hängt besonders von der jeweiligen Oberflächenbeschaffenheit ab (rissig; geschliffen; gewachst ...).

A 2: Beim Gehen wird man abwechselnd schneller und langsamer. Dazu muss man auf den Teppich (außer der senkrechten Kraft) auch eine waagerechte Kraft ausüben können, denn erst die Gegenkraft ermöglicht die Bewegungsänderungen. Dazu ist Reibung erforderlich. Oft ist sie erst durch besondere Vorkehrungen (rutschfeste Unterlagen oder Teppichkleber) groß genug.

A 3: Böden mit nicht zu großer und nicht zu kleiner Reibung sind zum Laufen von Vorteil: Sand und (hohes) Gras sind nachteilig, wegen der Verformungen werden größere Kräfte benötigt – nasse Fliesen und Eis sind erst recht ungünstig, denn sie liefern nicht die nötigen, genügend großen Gegenkräfte.

Seite 53

A 1: Feste Rolle: $F = 400$ N;
Lose Rolle: $F = 2 \cdot 400$ N $= 800$ N;
Flaschenzug (4 tragende Seilabschnitte):
$F = 4 \cdot 400$ N $= 1600$ N

A 2: $F_Z = 0{,}5 \cdot (G_{Inhalt} + G_{Rolle} + G_{leere\ Kiste})$.
Daraus ergibt sich:
$G_{Inhalt} = 2 \cdot 270$ N $- 130$ N $= 410$ N.

Seite 55

A 1:

$\angle(\vec{F}_1, \vec{F}_2)$	$\angle(\vec{F}_{Ersatz}, \vec{F}_1)$	$\angle(\vec{F}_{Ersatz}, \vec{F}_2)$	F_{Ersatz}
0,0°	0,0°	0,0°	14,0 N
30,0°	17,2°	12,8°	13,5 N
60,0°	34,7°	25,3°	12,7 N
90,0°	53,1°	36,9°	10,0 N
120,0°	73,9°	46,1°	7,2 N
150,0°	103,1°	46,9°	4,1 N
180,0°	180,0°	0,0°	2,0 N

Der Betrag der Ersatzkraft liegt im Bereich 2 N bis 14 N. Beim Winkel 0° gilt die algebraische Summe der beiden Kraftbeträge; beim Winkel 180° gilt die Differenz.

A 2: Der Betrag der Ersatzkraft ändert sich vom Zweifachen des Einzelbetrages bis hinab zu 0 N. Für Winkel kleiner als 120° ist die Ersatzkraft größer als eine Komponente, für 120° gleich groß, für größere Winkel ist sie kleiner.

KRÄFTE UND ZUSAMMENWIRKEN VON KRÄFTEN

A 3: Der Betrag der Ersatzkraft ist etwa 3,6 kN (*rechnerisch:* 3606 N). Der Winkel $\angle$ ($\vec{F}_{\text{Süd}}$, $\vec{F}_{\text{Ersatz}}$) ist ungefähr 34° (33,7°). Folglich ist das Halteseil entgegengesetzt, also mit 34° von Nord gegen West zu befestigen.

Seite 59

A 1: Lang: Länge (l in m); **schnell:** Geschwindigkeit (v in m/s); **alt:** Zeit (t in Jahr oder in s); **schön:** *keine physikalische Eigenschaft*; **geräumig:** Volumen (V in m³); **teuer:** *keine physikalische Eigenschaft*, obwohl wie bei physikalischen Größen Zahlenwert und Einheit (Währungseinheit) benutzt werden; **stark:** Kraft (F in N); **schwer:** Masse (m in kg) – Bemerkung: Je größer die Masse ist, desto größer ist am selben Ort die Gewichtskraft (G in N).

A 2: Ulfs Schulweg beträgt $s = v \cdot t = (15 \text{ km/h}) \cdot (11/60)$ h $= 2,75$ km. Utes Weg ist länger (trotz kürzerer Fahrzeit). Ute setzt eine bestimmte Geschwindigkeit voraus: $v = s/t = 3 \text{ km}/((10/60) \text{ h}) = 18$ km/h.

A 3: *Marathonläufer:* 2 h 15 min = 2,25 h; $v = s/t = 42,195 \text{ km}/(2,25 \text{ h}) = 18,75$ km/h; *Sprinter:* $v = 100 \text{ m}/10 \text{ s} = 10 \text{ m/s} = 36$ km/h.

A 4: 1 Knoten = 1 kn = 1852 m/h = 1852 m/3600 s; also 1 kn = 0,514 m/s; 1 m/s = 1,94 kn.

A 5: Wegen der halbierten Geschwindigkeit ist auf der ersten Hälfte des Weges nicht die Hälfte der geplanten Zeit vergangen, sondern das Doppelte davon, also bereits die gesamte geplante Zeit. Mit keiner noch so großen Geschwindigkeit ist dann pünktliches Ankommen möglich.

A 6: *Volumen* $V = 85 \text{ m} \cdot 12 \text{ m} \cdot 2,5 \text{ m} = 2550 \text{ m}^3$; wegen der *Dichte* des Wassers (1 kg/ℓ = 1 t/m³) ist die *Masse:* $m = 2550$ t. *Zusatzvolumen* $V_Z = 85 \text{ m} \cdot 12 \text{ m} \cdot 0,05 \text{ m} = 51 \text{ m}^3$; *Zusatzmasse* $m_Z = 51$ t.

A 7: Für Füllungen mit einem einheitlichen Stoff ist die Masse dem Volumen proportional. Je nach der Dichte des Stoffes kann die Volumenskala in eine zugehörige Massenskala übersetzt werden.

A 8: a) Masse: $m = \rho \cdot V = (2,2 \text{ g/cm}^3) \cdot (0,05 \text{ cm})^3 = 0,000275$ g; zu der Masse $m = 500$ g gehören (500 g/0,000275 g) Körner = 1,8 Millionen Körner! **b)** $\rho = m/V = 500 \text{ g}/(4 \text{ cm} \cdot 7 \text{ cm} \cdot 12 \text{ cm}) = 1,49 \text{ g/cm}^3$; diese kleinere Dichte kommt durch die Mischung von Salz und dazwischen liegender Luft zustande.

A 9: $m = \rho \cdot V = (0,2 \text{ g/cm}^3) \cdot (30 \text{ cm} \cdot 20 \cdot 10000 \text{ cm}^2) = 1200000 \text{ g} = 1200 \text{ kg} = 1,2$ t; $G = (9,8 \text{ N/kg}) \cdot 1200 \text{ kg} = 11760 \text{ N} \approx 11,8$ kN.

A 10: $V = m/\rho = 1000 \text{ g}/(19,3 \text{ g/cm}^3) = 51,8 \text{ cm}^3$. (Zum Vergleich: Eine Streichholzschachtel hat ein Volumen von etwa 30 cm³.)

A 11: Bei der Angabe des Zahlenwertes 2,70 ist anzunehmen, dass der wahre Wert zwischen 2,695 und 2,705 liegt, dass also die Unsicherheit höchstens 0,005 beträgt. Aus der Angabe 2,7 (2,65 bis 2,75) folgt eine zehnmal so große Unsicherheit.

Seite 60

A 12: Die Kraft zum *Beschleunigen* eines Körpers hängt von dessen Masse ab. Da die Masse des Autos auf dem Mond genauso groß ist wie auf der Erde, wird auch eine gleich große Kraft zum Beschleunigen gebraucht. – Dagegen hängt die Kraft zum *Anheben* des Körpers vom Ortsfaktor und damit von der Gewichtskraft des Körpers ab. Auf dem Mond hat der Ortsfaktor nur ein Sechstel des Wertes auf der Erde, im gleichen Verhältnis stehen die Gewichtskräfte und damit die Kräfte zum Anheben.

A 13: Die Gewichtskraft eines Körpers kommt durch die Massenanziehung aller Teilchen des Körpers und der Erde zustande. Wenn bei sonst gleichen Bedingungen sich unter dem Körper Bereiche mit besonders kleiner Masse (Höhle) oder mit besonders großer Masse (Bleierz) befinden, dann ist infolge davon der Ortsfaktor im ersten Fall etwas kleiner als normal, im zweiten etwas größer. Genaue Messungen des Ortsfaktors über der Erdoberfläche können daher Hinweise auf die Beschaffenheit darunter geben.

A 14: Für gleiche Massen ist die Gewichtskraft dem Ortsfaktor proportional, also ist das Verhältnis der Ortsfaktoren gleich dem Verhältnis der Gewichtskräfte und gleich dem Verhältnis der Zahl der Adern im Stahlseil. Zahl der Adern für *Mars*: $24 \cdot g_{\text{Mars}}/g_{\text{Erde}} = 24 \cdot 3,7/9,8 = 9$. Auf dem *Mond* braucht man jedoch nur 4 statt 24 Adern: $g_{\text{Mond}} = (4/24) \cdot g_{\text{Erde}} = (1/6) \cdot g_{\text{Erde}}$.

A 15: a) $D_1 = F/s_1$ und $D_2 = F/s_2$; aus $s_1 > s_2$ folgt $D_1 < D_2$, also ist Feder A_2 härter als Feder A_1.
b) $D_1 = F_1/s$ und $D_2 = F_2/s$; aus $F_1 > F_2$ folgt $D_1 > D_2$, also ist Feder B_1 härter als Feder B_2.
c) $D_1 = F_1/s_1$ und $D_2 = F_2/s_2$; aus $F_1 = 2 F_2$ und aus $s_1 = 3 s_2$ folgt $D_1 = 2 F_2/(3 s_2) = (2/3) D_2$, also ist Feder C_2 härter als Feder C_1.

A 16: $D = F/s$; $D_1 = 309 \text{ cN}/30 \text{ cm} = 10,3$ cN/cm; $D_2 = 10,3 \text{ cN/cm}$; $D_3 = 10,0 \text{ cN/cm}$; $D_4 = 8,85$ cN/cm.

Die Quotienten zeigen: Zwischen dem zweiten und dritten Messpunkt endet der Proportionalitätsbereich; zunächst ist die Abweichung noch geringfügig, dann wird sie stärker.

A 17: *Konstruktionsbeschreibung:* Für die waagerechte s-Achse wird der Maßstab zweckmäßig festgelegt: Die Längeneinheit 1 cm soll in halber Größe abgebildet werden: 1 cm $\widehat{=}$ 5 mm. Bevor die Skala beschriftet ist, wird senkrecht über der s-Achse der Betrag der Kraft $\vec{F}_1$ ($F_1 = 6$ N) maßstäblich (z. B. 1 N $\widehat{=}$ 2 mm) eingetragen. Rechts davon wird über der s-Achse der Betrag der Kraft $\vec{F}_2$ ($F_2 = 24$ N) eingetragen, und zwar in dem Abstand, der der Verlängerung 12 cm entspricht. Die beiden Messpunkte werden geradlinig verbunden; der Schnittpunkt mit der s-Achse ergibt den Ursprung beider Achsen. Es ergibt sich die Verlängerung $s_1 = 4$ cm.

A 18: Die Winkel 37° aufwärts und 53° abwärts ergeben zusammen einen rechten Winkel; das Kräfteparallelogramm ist also in diesem Fall ein Rechteck.

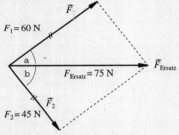

Es ergibt sich $F_1 = 60$ N und $F_2 = 45$ N.

A 19: Für zwei gleich große Kräfte (z. B. $\vec{F}_1$ und $\vec{F}_2$), die einen Winkel von 120° bilden, hat die Ersatzkraft den gleichen Betrag wie eine Komponente und sie hat die Richtung der Winkelhalbierenden (s. S. 55, Bild 3). Diese Ersatzkraft wirkt also entgegengesetzt zur gleich großen Kraft $\vec{F}_3$. Addiert ergibt sich eine Kraft mit Betrag 0 N.

A 20: Die Konstruktion ergibt die Übereinstimmung.

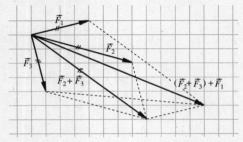

$(\vec{F}_2 + \vec{F}_3) + \vec{F}_1 = (\vec{F}_1 + \vec{F}_2) + \vec{F}_3 = \ldots = \vec{F}_1 + \vec{F}_2 + \vec{F}_3$.

ENERGIE UND LEISTUNG

Seite 65

A 1: Muskelenergie → Bewegungsenergie des Schlägers → Spannenergie der Saiten des Schlägers und des verformten Balls → Bewegungsenergie des Balls.

A 2: Bewegungsenergie der Sportlerin bzw. des Sportlers samt Stab → Spannenergie des Stabes → Höhenenergie und Bewegungsenergie des Springers.

A 3: Wenn der Ball an der Zimmerdecke ankommt, ist die beim Abwurf mitgegebene Bewegungsenergie vollständig zu Höhenenergie geworden (Höhengewinn von der Hand aus gemessen). Wenn der Ball fast bis zum Fußboden gefallen ist: Die gesamte Bewegungsenergie stammt aus der Höhenenergie (Höhenverlust von der Decke aus gemessen).

A 4: Die Höhenenergie wird zu innerer Energie der an den Bremsen aufeinander reibenden Materialien. Die Temperatur der Bremsen steigt.

Seite 67

A 1: 600 t = 600000 kg;
F_s = 600000 kg · 9,81 N/kg = 5886000 N.
$W = F_s · s$ = 5886000 N · 15 m ≈ 90 Millionen Joule, geliefert und gespeichert.

A 2: F = 5 kg · 9,81 N/kg = 49 N; das Herz liefert also in jeder Minute W = 49 N · 1 m = 49 J, in jeder Stunde 2940 J, an einem Tag 70560 J.

Seite 69

A 1: $F_s = F_o + F_R = \frac{1}{4}$ · 1000 N + 750 N = 1000 N;
$F_s · s$ = 1000 N · (4 · 2) m = 8000 J;
$G · h$ = 1000 N · 2 m = 2000 J.

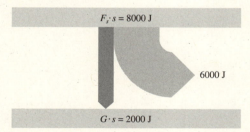

A 2: Wenn man den Flummi aus der Hand loslässt, verliert er Höhe, Höhenenergie wird zu Bewegungsenergie. Am Fußboden ist seine Bewegungsenergie maximal; sie wird vollständig zu Spannenergie des verformten Flummis.

Jetzt bekommt der Flummi die Energie wieder zurück – als Bewegungsenergie. So kann er wieder Höhe gewinnen, mit Zunahme der Höhenenergie und Abnahme der Bewegungsenergie.
Weil es Reibung gibt, steigt der Flummi von Mal zu Mal weniger hoch. Energie wird an die Umgebung abgegeben und dadurch entwertet. Das Video im Rückwärtsgang, würde einen Flummi zeigen, der zunächst ruhig auf dem Boden liegt und unerwartet zu hüpfen beginnt; von Mal zu Mal höher, bis er schließlich die Hand erreicht. – Es hat noch nie jemand beobachtet, dass Energie aus der Umgebung von alleine zu Bewegungs- und Höhenenergie wird.

Seite 71

A 1: $P = W/t$ = 3600000 J/3600 s = 1000 J/s = 1000 W.
Oder: P = 1 kWh/1 h = 1 kWh/h = 1 kW = 1000 W.

A 2: $P = W/t$ = (1500 kg · (9,81 N/kg) · 75 m)/60 s ≈ 18400 J/s = 18,4 kW.

A 3: Mit der Gleichung $P = F_s · v$ erhalten wir:
$v = P/F_s$ = 20000 W/(500 kg · (9,81 N/kg)) ≈ 4 m/s.

A 4: Mit der Gleichung $W = P · t$ erhalten wir:
a) W = (700 J/s) · 120 s = 84000 J;
b) 0,7 kW · $\frac{1}{30}$ h = 0,023 kWh.

Seite 73

A 1: a) Man könnte jede der Figuren ausschneiden und an verschiedenen Punkten drehbar aufhängen. Die Lotlinie würde immer durch den für die Figur gezeichneten Körperschwerpunkt KSP gehen.
b) Es kommt auf den Höhengewinn oder Höhenverlust des KSP an. Dessen Höhe ändert sich viel weniger als die Höhe des Kopfes oder der Füße.

Seite 77

A 1: (Schülernennungen)

A 2: Unter der Voraussetzung, dass die Ölmoleküle in einer einzigen Schicht nebeneinander liegen, können wir aus der Fläche des Ölflecks und aus dem Tropfenvolumen die Größe das Moleküls berechnen.

A 3: Eine *Modelleisenbahn* ist dem Original möglichst getreu nachgebaut; dagegen ist das *Teilchenmodell* lediglich ein Hilfsmittel zur Veranschaulichung anders nicht erfahrbarer Sachverhalte.
Ein Modell ist dann falsch, wenn es Erfahrungen und Beobachtungen nicht korrekt wiedergeben kann.

Seite 79

A 1: *Bild 1a:* Der Stempel bewegt sich ganz leicht, alle Kügelchen haben einen „festen" kaum veränderbaren Platz; bei genauem Hinsehen beobachten wird eine geringe Bewegung der einzelnen Kügelchen: *Festkörper.*
ohne Bild: Der Stempel bewegt sich etwas stärker, die Kügelchen bewegen sich und tauschen dabei die Plätze; es bleibt fast durchgängig eine glatte Oberfläche erhalten: *Flüssigkeit.*
Bilder 1b,c: Der Stempel bewegt sich heftig und schleudert die Kügelchen durch den Raum; die Kügelchen stoßen gegeneinander, gegen die Wände und den Deckel: *Gas.*

A 2: Ein Modellgas aus zwei verschiedenen Gasen kann mit zwei verschiedenen (Farbe bzw. Größe) Kügelchensorten realisiert werden.
Mögliche Beobachtungen: unterschiedliche Geschwindigkeiten der Molekülarten (Kügelchen); Schichtung der Molekülarten.

A 3: *Fest:* klare Struktur; feste Nachbarschaftsbezüge; kaum Bewegungen möglich;
flüssig: keine Struktur erkennbar, aber lockere Bezüge zu den Nachbarn; vielfältige Bewegungen möglich;
gasförmig: keine Struktur erkennbar; Nachbarn scheinen fast ohne Bedeutung zu sein; uneingeschränkte Bewegungsmöglichkeiten.

Seite 83

A 1: $F = p \cdot A = 530000$ Pa $\cdot$ 0,00014 m^2 = 74,2 N.

A 2: $A = F/p = 10000$ N/20000000 Pa = 0,0005 m^2 = 5 cm^2.

A 3: $F = p \cdot A =$
$= 17000000$ Pa $\cdot$ 0,0007 m^2 = 11900 N = 11,9 kN.

A 4: $p = F/A = 1500$ cN/2 cm^2 = 750 cN/cm^2 = 7,5 Pa;
$F_2 = p \cdot A = 750$ cN/cm$^2 \cdot 4$ cm^2 = 3000 cN = 30 N;
$F_3 = 750$ cN/cm$^2 \cdot 6$ cm^2 = 4500 cN = 45 N.

Seite 85

A 1: $p = h \cdot g \cdot \rho$
Wasser: $p = 9,80$ hPa;
Alkohol: $p = 7,76$ hPa;
Quecksilber: $p = 132,93$ hPa

A 2: $h = p/(g \cdot \rho)$
$= 1000$ hPa/(0,981 cN/g $\cdot$ 13,55 g/cm^3) = 75,2 cm.

A 3: $p = h \cdot g \cdot \rho$
$= 1100000$ cm $\cdot$ 0,981 cN/g $\cdot$ 1,02g/cm^3
$= 1100682$ hPa $\approx$ 1100 bar.
$F = 11000$ N auf 1 cm^2.

Nein, die Kräfte wirken von allen Seiten.
Die Kraft auf einen Quadratzentimeter an der unteren Kugelfläche ist größer als die Kraft auf einen Quadratzentimeter an der oberen Kugelfläche.

Seite 87

A 1: a) Die Kraft auf die Querschnittsfläche des Glaszylinders durch den Schweredruck muss 1 N (Gewichtskraft der Platte) betragen: $p = F/A = 100$ cN/25 cm^2 = 4 cN/cm^2;

$$h = \frac{p}{g \cdot \rho} = \frac{4 \text{ cN/cm}^2}{\left(0,981 \text{ cN/g} \cdot 0,9986 \text{ g/cm}^2\right)} \approx 4 \text{ cm.}$$

b) Wasser können wir bis zu einer Höhe von 16 cm einfüllen (vgl. a)).
Alkohol können wir bis zu einer Höhe von 20,2 cm einfüllen (16 : 0,791 = 20,2).
c) Es ändert sich an den Ergebnissen von a) und b) nichts, da der Schweredruck innerhalb des Glaszylinders gleich bleibt.

A 2: Dichte von Spiritus: $\rho = 0,80$ g/cm^3;
Ortsfaktor: $g = 1$ cN/g;
Gefäß bis B mit Spiritus gefüllt:
a) Druck: $p_B = 12$ cN/cm^2;
Kraft: $F_B = 12$ N;
Gefäß bis C mit Spiritus gefüllt:
Druck: $p_C = 18,4$ cN/cm^2;
Kraft: $F_C = 18,4$ N;
b) Gefäß bis B mit Spiritus gefüllt:
                $G_B = 12$ N;
Gefäß bis C mit Spiritus gefüllt:
                $G_C = 12,128$ N;
c) $F_2 = 6,272$ N;
d) $F_C = G_C + F_2$.

TEILCHENMODELL UND DRUCK

A 3: Die Waage würde die Gewichtskraft des Wassers $G_C = 10,2$ N anzeigen.
Wir können Flüssigkeiten in solchen Gefäßen wiegen.

A 4: a) Die einzelnen Flüssigkeitssäulen erzeugen an jeder Stelle des waagerechten Verbindungsrohres denselben Schweredruck.
b) Durch Wassertürme wird sichergestellt, dass das Wasser auch in höheren Häusern noch unter Druck aus der Wasserleitung kommt.

Seite 88

A 1: Dichte von Spiritus: $\rho = 0,8$ g/ cm^3;
a) Der rechte Kolben bewegt sich nach oben, der linke nach unten; denn der Druck bei B durch den linken Kolben ist größer als der Druck durch den rechten Kolben.

$p_{links} = G_K/A_1 + h_1 \cdot g \cdot \rho$
$\quad\quad = 20,8$ cN/cm^2 + 65 cm $\cdot$ 1 cN/g $\cdot$ 0,8 g/cm^3
$\quad\quad = 72,8$ cN/cm^2,
$p_{rechts} = G_{K2}/A_2 + h_2 \cdot g \cdot \rho$
$\quad\quad = 18,75$ cN/cm^2 + 15 cm $\cdot$ 1 cN/g $\cdot$ 0,8 g/cm^3
$\quad\quad = 30,75$ cN/cm^2.

$p_{rechts} = 72,8$ cN/cm^2 = (150 cN + G)/8 cm^2 + 12 cN/cm^2,
daraus folgt $G = 3,36$ N. Wenn also $m_2 = 336$ g gewählt wird, dann sind die Kolben in Ruhe.
b) m_1 muss 471 g betragen, damit beide Kolben in Ruhe sind.
$p_A = 8$ N/8 cm^2 = 100 cN/cm^2;
$p_B = p_A + h_2 \cdot g \cdot \rho = 112$ cN/cm^2;
$p_C = 60,0$ cN/cm^2.

A 2: a) Volumen der Wassersäule:
$V = 28,3$ cm$^2 \cdot$ 10 cm + 300 cm $\cdot$ 2 cm^2 = 883 cm^3.
Das Wasser erfährt die Gewichtskraft $G = 8,83$ N.
b) $h = 303$ cm; $p = 303$ cN/cm^2;
$F = p \cdot A = 303$ cN/cm$^2 \cdot$ 25 cm^2 = 75,75 N.
Auf alle Seiten der Dose wirken Kräfte aufgrund des Schweredrucks. Die Gegenkräfte von den Dosenwänden bewirken die im Vergleich zur Gewichtskraft $\vec{G}$ große Kraft $\vec{F}$.

A 3: Höhendifferenz im Erdgeschoss: $h = 60$ m;
$p = 6000$ cm $\cdot$ 1 g/cm$^3 \cdot$ 1 cN/g = 60 N/cm^2 = 6 bar;
$F = 60$ N/cm$^2 \cdot$ 1,27 cm^2 = 76,0 N.
Höhendifferenz im 4. Stock: $h = 51$ m;
$p = 5,1$ bar; $F = 64,8$ N.

Seite 91

A 1: Man überprüft die Fixpunkte 0 °C und 100 °C bei normalem Luftdruck von 1013 hPa.

A 2: Thermometer a) im Labor, b) medizinisch als Fieberthermometer, c) 2 der elektrischen Thermometer ebenfalls als Fieberthermometer, davon das obere als Schnellthermometer bei Säuglingen, c rechts) elektrisches Vielzweckthermometer, vor allem im Labor, d) Außenthermometer begrenzter Genauigkeit, e) Schmuckthermometer mit grobem Raster.
a) und b) sind Flüssigkeitsthermometer.
Hat das Digitalthermometer einen Messfühler am Ende eines Kabels, kann die Temperatur auch aus der Ferne abgelesen werden.

A 3: Bei Umkehrung der Skala wäre „heiß" bei niedrigem Zahlenwert für die Temperatur (z. B. 73 ° bei „Hitzefrei") und „kalt" bei hoher Temperatur (z. B. 95 ° im Kühlschrank).

Seite 93

A 1: Da beide Materialien sich in gleichem Maße mit der Temperatur ausdehnen, zerstört der Stahl den Beton nicht.

A 2: Es gibt zwei mögliche Ursachen:
a) Die Kugel hat sich abgekühlt. Wegen des kleineren Volumens fällt sie durch die Öffnung.
b) Der Ring hat sich durch den Kontakt mit der heißen Kugel mittlerweile erwärmt und eine größere Öffnung bekommen – die Kugel fällt.
c) Tatsächlich passiert beides.

Seite 95

A 1: Wegen der Ausdehnungsanomalie: Im Temperaturbereich zwischen 0 °C und 9 °C wäre die Anzeige nicht eindeutig. Bei starker Abkühlung würde das entstehende Eis zudem das Thermometergefäß sprengen.

A 2: Das Glas taucht in das kalte Wasser und zieht sich zusammen, bevor die Thermometerflüssigkeit sich abkühlen kann. Diese steigt in dem nun kleineren Gefäß höher.

A 3: Bei beiden Stoffen werden die Teilchen während der Abkühlung langsamer. Das Volumen des Körpers wird kleiner. Schließlich wird der Stoff fest: Wasser bei 0 °C, Wachs bei höherer Temperatur in einem größeren Temperaturbereich.
Beim Wasser beachte man außerdem die Anomalie: Festes Wasser hat ein größeres Volumen als flüssiges.

A 4: Der Abstand wird größer, weil sich die Rohre durch die einseitige thermische Ausdehnung nach außen krümmen.

A 5: Beim Abkühlen schrumpft der Kupferdraht stärker als seine Glasumhüllung. Die Verbindung wäre weder fest noch gasdicht.

A 6: Das Stahllineal ist zu lang; die Messwerte werden zu klein.

A 7: Es ist $\Delta l = 1{,}7$ mm bei $l_0 = 1$ m und $\Delta\vartheta = 100$ K. Hier ist deshalb $\Delta l = 1{,}7$ mm $\cdot$ 1,2 $\cdot$ 0,4 = 0,8 mm.

A 8: De Eiffelturm ist etwa um 18 cm größer:
1,2 mm $\cdot$ 300 $\cdot$ 0,5 = 180 mm.

A 9: Eine Pendeluhr mit temperaturabhängiger Pendellänge würde nicht immer gleich schnell gehen (bei längerem Pendel langsamer). Bei Farbfernsehröhren wird die Lochmaske aus INVAR gefertigt. Ihre Abmessungen bleiben trotz Temperaturänderungen gleich.

Seite 97

A 1: Das Volumen eines idealen Gases wäre bei 0 K null. Kleiner kann es nicht werden. Nach oben hin gibt es keine Beschränkung, da das Volumen beliebig groß werden kann (bei konstantem Druck).
Oder: Die Bewegungsenergie der Teilchen hat eine untere, aber keine obere Grenze.

A 2: Umrechung in Kelvin-Temperaturen: 13 °C $\cong$ 286 K; 21 °C $\cong$ 294 K. Dann gilt: $V_2 = V_1 \cdot T_2/T_1 = 25{,}7$ m³. Also verlassen 0,7 m³ Luft den Raum.

Seite 99

A 1: Die Handflächen werden heiß. Beim Reibungsvorgang verhaken sich die einzelnen Teilchen der Hautoberflächen, reißen sich schließlich los und geraten so in heftige Bewegung.

A 2: Die einheitliche heftige Bewegung der Hammerteilchen überträgt sich auf die Teilchen des Hufeisens. Diese bewegen sich ungeordnet schließlich sehr schnell, die Temperatur nimmt einen so großen Wert an, dass das Eisenstück glüht.

Seite 101

A 1: $W = 4{,}2$ J/(g $\cdot$ K) $\cdot$ 500 g $\cdot$ 30 K +
0,75 J/(g $\cdot$ K) $\cdot$ 100 g $\cdot$30 K
= 63000 J + 2250 J $\approx$ 65 kJ.

A 2: $W = 4{,}2$ J/(g · K) · 10 kg · 80 K = 3360 kJ ≈ 0,93 kWh. Man muss dafür 0,93 kWh · 0,15 €/kWh = 0,14 € bezahlen.

A 3: a) $W = 0{,}88$ J/(g · K) · 4500 kg · 5 K = 19800 kJ.
b) Unbefangen wird ein Schüler zunächst annehmen, dass die gesamte gespeicherte Energie von der Mauer auf die Raumluft übergeht. Das ergäbe eine Temperaturänderung von
$$\Delta\vartheta = \frac{W}{c_{\text{Luft}} \cdot m_{\text{Luft}}} = \frac{198000 \text{ kJ}}{1 \frac{\text{kJ}}{\text{kg} \cdot \text{K}} \cdot 40 \text{ kg}} = 495 \text{ K !}$$
Man erkennt, wie viel Energie sich im Mauerwerk speichern lässt. Realistisch ist deshalb, dass sich die Luft praktisch bis zur Temperatur der Mauer erwärmt und die Mauer nur unmerklich abkühlt.
Rechenmodell: Die Luft habe eine Temperatur von 15 °C, die Mauer 25 °C. Wir nehmen an, dass die Hälfte der Energie nach außen abgegeben wird. Die andere Hälfte soll sich auf Mauer und Innenluft verteilen. Die sich einstellende Temperatur (Mischungstemperatur) kann man nach den Mischungsversuchen im nächsten Kapitel genau berechnen:
$$\vartheta_m = \frac{c_{\text{Luft}} \cdot m_{\text{Luft}} \cdot \vartheta_{\text{Luft}} + c_{\text{Beton}} \cdot m_{\text{Beton}} \cdot \vartheta_{\text{Beton}}}{c_{\text{Luft}} \cdot m_{\text{Luft}} + c_{\text{Beton}} \cdot m_{\text{Beton}}}$$
$$= \frac{1 \frac{\text{kJ}}{\text{kg} \cdot ^\circ\text{C}} \cdot 40 \text{ kg} \cdot 15\,^\circ\text{C} + 0{,}88 \frac{\text{kJ}}{\text{kg} \cdot ^\circ\text{C}} \cdot 2250 \text{ kg} \cdot 25\,^\circ\text{C}}{1 \frac{\text{kJ}}{\text{kg} \cdot ^\circ\text{C}} \cdot 40 \text{ kg} + 0{,}88 \frac{\text{kJ}}{\text{kg} \cdot ^\circ\text{C}} \cdot 2250 \text{ kg}}$$
$= 24{,}8\,^\circ\text{C}$.

Seite 103

A 1: Ansatz über Energiebilanz $W_{\text{auf}} = W_{\text{ab}}$, dann auflösen nach ϑ_m (c_W kann auch schon vorher herausdividiert werden):
$$\vartheta_m = \frac{c_W \cdot 500 \text{ g} \cdot 16\,^\circ\text{C} + c_W \cdot 400 \text{ g} \cdot 60\,^\circ\text{C}}{c_W \cdot 500 \text{ g} + c_W \cdot 400 \text{ g}} = 35{,}6\,^\circ\text{C}.$$

A 2: Ansatz und Rechnung wie A 1:
$$\vartheta_m = \frac{c_{\text{Porz}} \cdot 125 \text{ g} \cdot 20\,^\circ\text{C} + c_W \cdot 125 \text{ g} \cdot 80\,^\circ\text{C}}{c_{\text{Porz}} \cdot 125 \text{ g} + c_W \cdot 125 \text{ g}} = 70{,}4\,^\circ\text{C}.$$

A 3: a) Da statt 100 m³ nur 20 m³ erhitzt werden, ist die Temperaturerhöhung jetzt 5-mal so groß: $\Delta\vartheta = 24$ K.
b) $m_W = \dfrac{W}{c_W \cdot \Delta\vartheta} = \dfrac{2000 \cdot 10^6 \text{ J}}{4{,}2 \frac{\text{J}}{\text{g} \cdot \text{K}} \cdot 10 \text{ K}} = 47{,}6 \cdot 10^6$ g.

Dies entspricht einem Durchsatz von 47,6 m³/s.

Seite 105

A 1: 200 Umdrehungen liefern $W = 1540$ J. Die benötigte Energie ist: $W = c_W \cdot m_W \cdot \Delta\vartheta = 4{,}2 \cdot 200 \cdot 80$ J $= 67200$ J.

Das ist etwa 44-mal so viel, entspricht also 8800 Umdrehungen. Diese dauern z. B. 4200 s, also 70 min.

A 2: Reibungsarbeit wird in innere Energie von Bohrspitze und Gegenstand übertragen und wird am Schluss innere Energie der Umgebung:

Beim Menschen als Energielieferanten stammt die Energie aus der Nahrung, also aus chemischer Energie. Bei der zeitlichen Umkehrung müsste innere Energie zu 100% in mechanische Energie verwandelt werden, die Umgebung müsste sich von selbst abkühlen, die Bohrmaschine als Generator laufen und das E-Werk die Energie zurückbekommen.

A 3: Energie Übertragungskette:

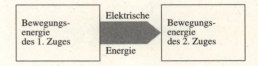

Die Bewegungsenergie des ersten Zuges nimmt ab, er wird langsamer. Gleichzeitig nimmt die Bewegungsenergie des zweiten Zuges im gleichen Maße zu, er wird schneller. Im Idealfall geht keine Energie an die Umgebung verloren.

Seite 107

A 1: Die sehr hohe Schmelztemperatur von 3370 °C ermöglicht helles, weißes Licht.

A 2: $W = s \cdot m = 335$ J/g $\cdot$ 5000 g = 1675 kJ.

Seite 109

A 1: Der in der Luft vorhandene Wasserdampf muss sich abkühlen können. Dies geschieht häufig an kalten Fensterscheiben. Vor allem in Küche und Bad ist genügend Wasser gasförmig vorhanden.

A 2: Nach kurzer Zeit hat die Luft viel Wasser als gasförmigen Wasserdampf aufgenommen. Sie muss dann durch trockene Luft ersetzt werden, bevor sie gesättigt ist.

A 3: Der „Atem" wird sichtbar, wenn Wasserdampf der Atemluft in der äußeren kälteren Luft kondensiert. Man sieht dann kleine Wassertröpfchen (also flüssiges Wasser) als Nebel.
Tau bildet sich in kühlen Morgenstunden an ausgekühlten Pflanzen, Reif (Eis) bei Temperaturen unter 0 °C.

A 4: a) Wasser aus den Fleischporen verdampft sofort und braucht schlagartig mehr Platz.
b) Aus gleichem Grund – Wassertröpfchen verdampfen und schleudern brennendes Fett aus der Pfanne. Löschen sollte man durch Ersticken des Feuers, z. B. mit einer Feuerlöschdecke.

A 5: a) Zum Verdunsten entzieht das Wasser der Haut Energie, die Haut kühlt sich ab.
b) Je Sekunde kann mehr Wasser verdunstet werden, mehr Energie wird entzogen, die Haut wird stärker abgekühlt.
c) Tatsächlich erhöht er die Temperatur der Luft eines Innenraumes geringförmig (die gesamte elektrische Energie wird letztlich in innere Energie der Umgebung gewandelt). Dennoch wird der Verdunstungseffekt an der Haut verstärkt.

A 6: Man kann die Flasche kurz ins Wasser tauchen und das Wasser an der Oberfläche dann verdunsten lassen. Besser gelingt dies, wenn man die Wasserflasche in ein Tuch wickelt. In südlichen Ländern bewahrt man Getränke in Tongefäßen auf. Flüssigkeit durchdringt die Tonporen und verdunstet an der Außenfläche.

Seite 117

A 1: a) Die Haut absorbiert die auftreffende Temperaturstrahlung. Ihre Temperatur erhöht sich. Die Versuchsperson empfindet das sehr deutlich.
Bringt man ein Blatt Papier oder Alu-Folie zwischen Bügeleisen und Hand, so spürt man keine Wirkung des Bügeleisens mehr: Das Papier absorbiert, die Alu-Folie reflektiert die Temperaturstrahlung. Die Wirkung der sehr gut Wärme leitenden Alu-Folie zeigt, dass der Energietransport vom Bügeleisen zur Hand nicht durch Wärmeleitung verursacht wurde.
b) In Stellung ② sind die Beobachtungen qualitativ wie in Stellung ①, aber die Temperaturerhöhung der Hand fällt geringer aus, denn die Bügeleisen-Oberfläche, die in Richtung der Hand Temperaturstrahlung abgibt, ist jetzt kleiner.
In Stellung ③ spürt man eine stärkere Temperaturerhöhung der Hand als in Stellung ②, obwohl die Bügeleisen-Oberfläche, die in Richtung der Hand Temperaturstrahlung abgibt, kleiner ist als in Stellung ②. Zusätzlich zur Temperaturstrahlung wirkt jetzt die aufsteigende heiße Luft (Konvektion). Ein genügend großes Stück Papier

oder Alu-Folie verhindert, dass erhitzte Luft und Temperaturstrahlung zur Hand gelangen.

A 2: a) Man verwendet Materialien, die viele luftgefüllte Poren und Zwischenräume besitzen, wie z. B. Wolle, Filz, Pelz, Daunen (Federn) sowie vergleichbare synthetische Materialien.
b) Styropor, Glaswolle, Steinwolle.
c) Ursache ist die schlechte Wärmeleitfähigkeit von Luft und die Behinderung der Luftzirkulation und damit des Energietransports durch Konvektion in den Materialien.

A 3: a) Von der heißen Flüssigkeit geht Temperaturstrahlung aus. Diese wird an den verspiegelten Flächen reflektiert. Die Energie im Inneren kann dadurch nicht in Form von Strahlung entweichen.
b) Umgekehrt verhindert die Verspiegelung auch das Eindringen von Energie in Form von Temperaturstrahlung.

A 4: a) Die heißen Flammengase geben Energie in Form von Temperaturstrahlung und durch direkten Kontakt beim Umströmen der Rohrleitungen und Kesselwände ab. Die sehr gut Wärme leitenden Metallwände der Rohre und des Kessels führen die Wärme zum kalten Wasser. Pumpen transportieren das erhitzte Wasser durch wärmeisolierte Rohre in die Heizkörper der Wohnräume (Konvektion). Dort fließt die Energie durch die Metallwände der Heizkörper in die Zimmerluft (Wärmeleitung). Die Verteilung der Energie im Zimmer erfolgt durch Temperaturstrahlung und Schwerkraft-Konvektion.
b) Wenn die zu beheizenden Räume höher liegen als der Heizkessel, kann das heiße Wasser durch seine geringere Dichte das kalte Wasser in den Heizkörpern verdrängen (Schwerkraft-Konvektion).
c) Die von den Heizkörpern erhitzte Luft hat eine geringere Dichte als die kältere Luft im Zimmer. Unmittelbar über den Heizkörpern entsteht dadurch eine starke, nach oben gerichtete Luftbewegung. An den Wandflächen über den Heizkörpern streicht also viel mehr Luft vorbei als an anderen Wandflächen des Zimmers und die von der Luft mitgeführten Staubteilchen werden bevorzugt dort abgelagert.
d) • Durch Wärmeleitung (Wände, Dach, Kellerfußboden, geschlossene Fenster und Türen);
• Durch Konvektion (Lüften, durch Ritzen – insbesondere bei Wind);
• Durch Temperaturstrahlung (durch Glasscheiben von Fenstern und Türen).
e) Die Luftschicht zwischen dem Fenster und dem Rolladen und die Rolladenteile selbst (Luftkammern, eventuell Kunststoffteile) behindern die Wärmeleitung von innen nach außen. Außerdem kann die Temperaturstrahlung aus dem Inneren der Räume nicht mehr direkt nach außen gelangen.

TEMPERATUR UND INNERE ENERGIE

Sparen von Heizenergie:
• Raumtemperatur nicht höher einstellen als unbedingt nötig;
• Raumtemperatur nachts absenken;
• In unbenutzten Räumen die Raumtemperatur verringern oder die Raumheizung ganz abstellen;
• Kurz lüften, damit Möbel und Wände nicht auskühlen.

A 5: Aus seitlich und unten geschlossenen Kühltruhen kann die kalte, „schwere" Luft nicht „herausfließen". Sie ist wie eine Flüssigkeit in einem oben offenen Gefäß gefangen.

A 6: Durch den Einschluss der Luft in Poren wird die Strömung der Luft und damit der Energietransport durch Konvektion behindert.

A 7: Delphine und Wale besitzen eine dicke Speckschicht zur Verringerung der Wärmeleitung vom Körperinneren zum kalten vorbei strömenden Wasser. Der Speck ist gleichzeitig Energiespeicher (chemische Energie).

A 8: a) In einer „dicken", d. h. sehr zähflüssigen Suppe muss man rühren, damit die Suppenschicht unmittelbar über dem Topfboden nicht zu heiß wird und die Suppe nicht „anbrennt". Bei einer „dünnen" Suppe ist Rühren nicht erforderlich.
Suppe besteht im Wesentlichen aus Wasser und hat wie Wasser eine schlechte Wärmeleitfähigkeit. Die Wärmeleitung allein genügt nicht, um die über den Topfboden zugeführte Wärme genügend schnell im Topf zu verteilen und über die Oberfläche nach außen zu leiten. In einer „dünnen" Suppe sorgt die einsetzende Schwerkraft-Konvektion für die Verteilung der zugeführten Energie.
b) Ein welliger Topfboden und eine ebene Herdplatte berühren sich nur an wenigen Stellen direkt; meist ist eine mehr oder weniger dicke Luftschicht zwischen ihnen. Die schlecht Wärme leitende Luftschicht behindert den Wärmetransport von der Platte zum Topfinhalt stark. Die heiße Herdplatte gibt die Wärme statt an den Topfinhalt zu einem großen Teil ungenutzt an die Umgebung ab. Diese Energieverschwendung ist vermeidbar: Stellt man einen Topf mit ebenem Boden auf die ebenfalls ebene Platte eines Elektroherdes, so kann die Wärme durch die große direkte Berührungsfläche bzw. eine sehr dünne Luftschicht leicht in den Topf gelangen.
Beim Kochen mit einer Gasflamme stört die Welligkeit des Topfbodens nicht, denn die Flammengase können diesen genau so gut wie einen ebenen Topfboden umströmen und Wärme an ihn abgeben.

A 9: Berühren wir eine Metallbank, deren Temperatur niedriger ist als unsere Körpertemperatur, so wird Wärme über die Berührungsfläche an die Metallbank abgegeben und in der Bank weitergeleitet. Wegen der sehr guten Wärmeleit-

fähigkeit von Metallen bleibt die Berührungsstelle auch nach längerer Zeit immer noch kalt. Dadurch verringert sich auch nach längerer Zeit der Wärmeübergang vom Körper auf die Metallbank nicht wesentlich. Im Gegensatz dazu nimmt die Berührungsstelle der Holzbank nach kurzer Zeit fast Körpertemperatur an, da die schlechte Wärmeleitfähigkeit des Holzes den Abtransport der Wärme verhindert. Und mit dem Wegfall des Temperaturunterschiedes zwischen Körper und Holzbank verschwindet auch der Wärmefluss.
Wir empfinden eine Metallbank dann wärmer als eine Holzbank, wenn ihre Temperatur jeweils höher ist als die Körpertemperatur.

Seite 121

A 1: Wind: Windmühlen zum Mahlen von Getreide, Windräder zum Bewässern und zur Erzeugung elektrischer Energie, Segelschiffe zum Transportieren und zur menschlichen Fortbewegung.
Fließendes Wasser: Mühlen zum Mahlen von Getreide, Wasserkraftwerke, Transport von Holzflößen, Unterstützung bei Schifffahrten flussabwärts.
Haustiere: Kamele, Esel, Pferde, Rinder für die Feldbearbeitung, zum Mahlen von Getreide, zum Transportieren und zur menschlichen Fortbewegung.

A 2: Der Dampfmaschine wird Energie von 100 kg Steinkohle zugeführt:
$W_{\text{zugeführt}} = 100 \text{ kg} \cdot 31\text{MJ/kg} = 3100 \text{ MJ}.$
Wir erhalten für den Wirkungsgrad η:

$$\eta = \frac{W_{\text{mech}}}{W_{\text{zugeführt}}} = \frac{4 \text{ MJ}}{3100 \text{ MJ}} = 0{,}00129 \approx 0{,}13\%.$$

A 3: Aus $\eta = 1 - \dfrac{T_t}{T_h}$ folgt

$$T_h = \frac{T_t}{1 - \eta} = \frac{(273 + 50)\,\text{K}}{1 - 0{,}5} = 646 \text{ K, also } \vartheta_h \geq 373°C.$$

A 4: Um 33 J Energie von $T_t = 300$ K auf $T_h = 900$ K zu pumpen, benötigt eine reale Wärmepumpe erheblich mehr als 67 J mechanische Energie. Der entsprechende Energiepfeil für W_{mech} muss breiter oder der Energiepfeil für W_t muss schmaler (bei gleichem W_{mech}) gezeichnet werden.

Seite 130

A 1: a) Die Betonrohre biegen sich von der Sonnenseite weg.
b) Die Turmspitze wandert deshalb im Laufe des Tages von oben betrachtet im Uhrzeigersinn.

A 2: Entscheidend (und für viele Schüler überraschend) ist die Erkenntnis, dass sich auch die Öffnungen vergrößern.

A 3: a) 1 m Stahlseil verlängert sich bei einer Temperaturerhöhung von $\Delta\vartheta = 100$ K um $\Delta l = 1{,}2$ mm.
Bei $\Delta\vartheta = 15$ K und $l_0 = 1500$ m beträgt die Verlängerung dann $\Delta l = 1{,}2$ mm $\cdot$ 1500 $\cdot$ (15/100) = 270 mm.
b) Z. B.:

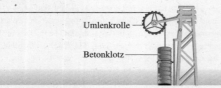

A 4: Z. B. am Heizkörper (Regelung der Raumtemperatur durch Steuerung der Durchflussmenge des heißen Wassers), im Kühlschrank (Regelung der Kühltemperatur durch Betätigung eines elektrischen Schalters für den Kompressor), Bimetallthermostat im Bügeleisen (An- und Ausschalten der Heizwicklung zur Regelung der Sohlentemperatur).

A 5: Die verwendete Glaskeramik ist ein so genanntes Nullausdehnungs-Material aus Glas und Quarz wie z. B. Zerodur® oder Ceran®. Unterschiedliche Temperaturen führen so nicht zu unterschiedlicher Ausdehnung, es entstehen keine mechanischen Spannungen.

A 6: a) Teilchen der Hände verhaken sich mit der Oberfläche des Seils und reißen wieder los. Danach bewegen sie sich heftig, die Handoberfläche hat eine hohe Temperatur.
b) Die Energieerhaltung wäre nicht verletzt, die Erfahrung zeigt aber, dass ein solcher Vorgang in der Natur nicht vorkommt. (Die Wahrscheinlichkeit dafür, dass die ungeordnete Bewegung der Handteilchen sich umwandelt in die geordnete Bewegung aller Körperteilchen nach oben ist praktisch null.)

A 7: Man meint, dass die Temperatur hoch ist. Im zweiten Fall müsste es physikalisch richtig heißen: „In der Herdplatte steckt noch viel innere Energie, die als Wärme nach außen gehen kann."

A 8: In diesem Mischungsversuch sind bis auf die spezifische Wärme des Gels c_K alle anderen Werte bekannt:
$$c_K = \frac{c_W \cdot m_W \cdot (\vartheta_W - \vartheta_m)}{m_K \cdot (\vartheta_m - \vartheta_K)} = 5{,}5 \ \frac{J}{g \cdot K}.$$
Dieser Wert liegt noch über dem schon hohen Wert von Wasser. Das Gel kann deshalb der Körperregion über längere Zeit Energie entziehen, ohne dass seine Temperatur schnell steigt.

A 9: (1) Abkühlen des Dampfes von 150 °C auf 100 °C:
$W_1 = c_{Dampf} \cdot m_{Dampf} \cdot \Delta\vartheta_1$
   = 1,95 J/(g $\cdot$ K) $\cdot$ 200 g $\cdot$ 50 K = 19500 J.
(2) Kondensieren:
$W_2 = r \cdot m = 2258$ J/g $\cdot$ 200 g = 451600 J.
(3) Abkühlen des Wassers von 100 °C auf 0 °C:
$W_3 = c_W \cdot m_W \cdot \Delta\vartheta_3$
   = 4,19 J/(g $\cdot$ K) $\cdot$ 200 g $\cdot$ 100 K = 83800 J.
(4) Gefrieren des Wassers:
$W_4 = s \cdot m = 335$ J/g $\cdot$ 200 g = 67000 J.
(5) Abkühlen des Eises:
$W_5 = c_{Eis} \cdot m \cdot \Delta\vartheta_5 = 2{,}09$ J/(g $\cdot$ K) $\cdot$ 200 g $\cdot$ 20 K = 8360 J.
Insgesamt muss die Energie
$W = W_1 + ... + W_5 = 630260$ J entzogen werden.

A 10: Man friert wegen der starken Verdunstung des auf der Haut liegenden Wassers. Die benötigte Verdunstungsenergie wird der Haut entzogen.

A 11: *Temperatur:* Maß für die mittlere Bewegungsenergie je Teilchen.
Innere Energie: Summe der Bewegungsenergien aller Teilchen (bei Gasen).
Wärme: Übergangsform der Energie von einem Körper zu einem anderen allein aufgrund eines Temperaturunterschiedes.
Beispiel für den Wortgebrauch: „Zwei Backsteine, ein kleiner mit hoher Temperatur, ein großer mit niedriger, werden aufeinander gelegt. Energie geht nun vom ersten Stein in Form von Wärme auf den zweiten Stein über. Die innere Energie des ersten nimmt ab, im gleichen Maß steigt die innere Energie des zweiten. Zum Schluss haben beide die gleiche Temperatur. Der erste Stein hat aber eine kleinere innere Energie als der zweite, da dieser mehr Teilchen hat."

A 12: Z. B. wird beim Schmelzen von Eis auf der Hand Wärme zugeführt, ohne dass dabei die Temperatur steigt. Umgangssprachlich wird mit „Erwärmen" aber eine Temperaturerhöhung verknüpft.

A 13: Verlust an Höhenenergie:
$W = m \cdot g \cdot h = 1$ kg $\cdot$ 9,81 N/kg $\cdot$ 10 m = 98,1 J.
Hiervon 80% sind 78,5 J.
Die Temperaturerhöhung beträgt somit:
$$\Delta\vartheta = \frac{W}{c_{Pb} \cdot m_{Pb}} = \frac{78{,}5 \ J}{0{,}13 \ \frac{J}{g \cdot K} \cdot 1000 \ g} = 0{,}6 \ K.$$

A 14: Durch Komprimieren im isolierten Zylinder (mithilfe des Kolbens wird Energie als Arbeit zugeführt). Hilfreich für die Vorstellung ist das Tennisschlägermodell: Die Kolbenstirnfläche läuft den Teilchen entgegen, sodass sie nach dem Stoß schneller als vorher sind.

TEMPERATUR UND INNERE ENERGIE

A 15: Beim Komprimieren einer größeren Luftmenge auf das kleine Volumen der Flasche hat der Verkäufer tatsächlich Energie zugeführt. Dies führte zu einer Temperaturerhöhung der Gasmenge. Durch die Flaschenwandung ist diese Energie aber als Wärme an die Umgebung verloren gegangen. Der Verkäufer kann sie nicht verkaufen, weil sie nicht mehr drinsteckt. Der Käufer kann sie allerdings beim Öffnen der Flasche (Expandieren der Gasmenge auf das ursprüngliche Volumen) als Wärme aus der Umgebung zurückgewinnen. Geschickt ist er, wenn er die Pressluft in einen Zylinder mit Kolben leitet. Bei der isothermen Expansion verwandelt sich die Wärme aus der Umgebung vollkommen in Arbeit (2. Takt Heißluftmotor).

A 16: Grundöfen oder Speicheröfen werden über wenige Stunden durch Feuer aufgeheizt und sollen dann den ganzen Tag über Wärme an den Raum abgeben. Dazu muss eine große Energiemenge gespeichert werden können, hier hilft die große spezifische Wärme von $0{,}98$ J/(g · K); sie ist etwa doppelt so groß wie die von Eisen und größer als die von Beton ($0{,}88$ J/(g · K)).

Die Energie muss sich aber auch in wenigen Stunden in den gesamten Stein ausbreiten können, deshalb ist eine nicht zu kleine Wärmeleitfähigkeit wichtig.

Die Dichte darf nicht zu klein sein, sonst müsste das Volumen des Ofens zur Erzielung einer großen Speichermasse sehr groß werden.

Die thermische Ausdehnung ist mit der von Metallen vergleichbar (etwas größer als bei Eisen). Mit etwas Vorsicht (Spiel) lassen sich Speckstein und Eisen gemeinsam verarbeiten.

A 17: a) Der Kolben wird nach rechts geschoben, Energie als Arbeit nach außen geliefert. Die Gasteilchen werden zunächst langsamer, die Temperatur sinkt also. Wegen des Temperaturgefälles wird Energie sofort in Form von Wärme von außen nachgeführt. Die Temperatur bleibt also konstant, die innere Energie auch, Wärme wird in Arbeit gewandelt.

b) Diesmal passiert nichts. Die Teilchen geben keine Energie an einen zurückweichenden Kolben ab, deshalb bleibt die mittlere Energie je Teilchen gleich, also auch die Temperatur. Die innere Energie bleibt ebenfalls gleich, da auch die Teilchenzahl sich nicht geändert hat. Energie wird diesmal nicht durch das System geleitet.

A 18: Betreibt man den Modellheißluftmotor als Wärmepumpe, so finden die Vorgänge a) bis d) in umgekehrter Reihenfolge und mit umgekehrten Energieflussrichtungen statt. (Anm.: Es wird im Folgenden davon ausgegangen, dass kein äußerer Luftdruck wirkt.)

Vorgang d): Das kalte Wasser gibt die Wärme W_t an die Luft in der Glaskugel ab. Diese Energie wird durch die Stöße der Luftmoleküle auf den Kolben bei der Ausdeh-

nung der Luft vollständig in mechanische Energie umgewandelt und gespeichert (Höhenenergie der Figur, Bewegungsenergie eines Schwungrades). Die Temperatur der eingeschlossenen Luft bleibt unverändert.

Vorgang c): Das Wasserbad muss beim Betrieb als Wärmepumpe die hohe Temperatur T_h besitzen. Das Wasserbad gibt die Wärme W_L an die eingeschlossene Luft ab.

Vorgang b): Der Verdichtungsvorgang erfolgt bei der hohen Temperatur T_h. Er erfordert deshalb einen größeren Kraft- und Energieaufwand als bei tiefer Temperatur. Zusätzlich zur Zufuhr der gespeicherten mechanischen Energie aus Vorgang d) ist deshalb die Zufuhr weiterer mechanischer Energie erforderlich (Muskelkraft, Motor). Die Summe dieser Energiemengen wird der Luft durch die Beschleunigung der Luftmoleküle beim Einschieben des Kolbens zugeführt. Die Luft gibt diese Energie als Wärme W_h sofort an das heiße Wasser weiter. Es gilt: $W_t + W_{mech} = W_h$.

Vorgang a): Die heiße Luft wird durch Eintauchen in kaltes Wasser abgekühlt. Sie gibt dabei die Wärme W_L, die während des Vorganges c) aufgenommen wurde, an das kalte Wasser ab.

Damit ist ein vollständiger Zyklus des als Wärmepumpe betriebenen Modellheißluftmotors abgeschlossen.

A 19: a) $W_t = W_h - W_{mech} = \dfrac{W_{mech}}{\eta} - W_{mech}$

$$W_t = \left(\frac{1}{\eta} - 1\right) \cdot W_{mech} = \frac{1-\eta}{\eta} \cdot W_{mech}$$

$$= \frac{T_t / T_h}{1 - (T_t / T_h)} \cdot W_{mech}$$

$$= \frac{T_t}{T_h - T_t} \cdot W_{mech}.$$

b) $T_t = 253$ K, $T_h = 303$ K; also ist

$$W_t = \frac{253 \text{ K}}{303 \text{ K} - 253 \text{ K}} \cdot 1 \text{ kJ} = 5{,}06 \text{ kJ}.$$

Seite 133

A 1: Das gebündelte Licht trifft das Auge und wird dort als Blinken wahrgenommen, wenn der Spiegel hinter der Glühlampe ist. In der Zeit dazwischen ist die Glühlampe entweder vom Spiegel abgedeckt oder das Licht ist durch die fehlende Bündelung so viel schwächer, dass es nicht wahrgenommen wird.

Seite 135

A 1: Der Kernbereich wird immer schmaler, bis er ganz verschwindet. Dann sind zwei Schatten des Körpers zu sehen. Die Helligkeit entspricht dem Teillichtbereich.

A 2: In jeder Ecke des Spielfeldes steht ein Mast mit den Scheinwerfern. Es liegen also vier Lichtquellen vor.

A 3: Bei Mondfinsternissen befindet sich der Mond im lichtfreien Raum der Erde, der von der Sonne aus gesehen hinter der Erde liegt.
Bei Sonnenfinsternissen muss der Mond genau zwischen Sonne und Erde stehen, damit sein lichtfreier Raum die Erde treffen kann. Dies sind die Positionen, in denen im Regelfall – wenn Sonne, Mond und Erde nicht ganz genau auf einer Linie liegen – Vollmond beziehungsweise Neumond herrscht.

A 4: Aus der Mondfinsternis kann man auf die Kugelgestalt der Erde schließen. Denn man sieht auf dem Mond den kreisförmigen Schatten der Erde.

Seite 139

A 1: a) Mithilfe einer Konstruktion des Strahlengangs nach Bild 138.B2 findet man: Die Größe des Spiegels muss mindestens die halbe Körpergröße sein. Die Oberkante des Spiegels muss 5 cm tiefer als die Scheitelhöhe sein.
b) Die Spiegelgröße ist unabhängig vom Abstand.
c) Dies ist nicht möglich. Mehr als die Füße sind nicht zu sehen.

A 2: Die Kerze in der Spiegelwelt ist wie eine reale Kerze zu betrachten, denn das Licht der realen Kerze wird so reflektiert, als käme es von dieser Kerze in der Spiegelwelt.

A 3: Verbinde L und P jeweils mit S. Konstruiere die Winkelhalbierende des Winkels PSL. Diese ist das Lot auf dem Spiegel. (Der Spiegel ist um 13,9° gegenüber der Horizontalen geneigt.)

A 4: Der Spiegel muss mindestens 61 cm hoch sein.

A 5: Man spiegelt zunächst die Glühlampe geometrisch am Boden und verbindet die Enden des Lichtflecks mit der gespiegelten Glühlampe. Die Schnittpunkte dieser Strecken mit dem Boden ergeben die Lage und die Größe des Spiegels. (Von links bis zum Beginn des Spiegels ca. 5 cm, Größe ca. 4 cm.)

Seite 145

A 1: An der Oberfläche des Glases wird ein Teil des Lichts reflektiert. Außerdem wird das Licht an der Grenzfläche gebrochen, sodass Gegenstände dahinter verändert erscheinen.

A 2: Winkel in Wasser: 25,5°, Ablenkung also 9,5°.

A 3: Winkel in Glas: 13,2°, 25,4°, 30,7°

A 4: Das vom Fisch ausgehende Licht wird an der Wasseroberfläche gebrochen. Der Fisch scheint höher zu schwimmen, als er es in Wirklichkeit tut. Er muss also *vor* den Fisch zielen.

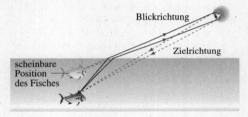

A 5: Der Ablenkwinkel δ wird als Differenz von α und β berechnet.

α	0°	10°	20°	30°	40°	50°	60°	70°	80°	90°
δ	0°	6°	12°	18°	25°	32	39°	47°	56°	66°

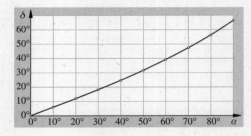

A 6: Man unterteile die Zuckerlösung in Gedanken in Schichten, deren optische Dichte von oben nach unten zunimmt. An jeder (gedachten) Grenzfläche wird der Lichtstrahl gebrochen. Denkt man sich die Schichten unendlich dünn, dann erhält man den beobachteten Sachverhalt.

OPTIK

Seite 147

A 1: a) Das Licht kann nur durch die Oberfläche treten, wenn der Winkel zum Lot im Wasser kleiner als $\beta = 48{,}6°$ ist. Zeichnet man einen solchen Strahl ein und dazu das Lot von der Lichtquelle zur Wasseroberfläche, dann erhält man ein rechtwinkliges Dreieck. Rotiert dieses Dreieck um das Lot, erhält man einen Kegel.
b) Der Öffnungswinkel des Kegels beträgt $2 \cdot 48{,}6° = 97{,}2°$.

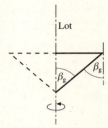

A 2: Der Winkel zwischen Lot und Lichtstrahl im Wasser beträgt 26,6°, 45,0° bzw. 56,3°. Der erste Strahl verlässt das Wasser unter einem Winkel zum Lot von 36,5°, der zweite unter 70,1°. Der dritte Strahl kann das Wasser nicht verlassen, da der Winkel größer als der Grenzwinkel ist. Der Lichtstrahl wird vollständig reflektiert.

A 3: Der Brechungswinkel beträgt 30,7°. Der Lichtstrahl trifft die untere Grenzfläche des Quaders und wird dort total reflektiert. An der rechten Grenzfläche wird der Strahl gebrochen und verlässt unter dem Winkel von 50° gegen das Lot den Quader.

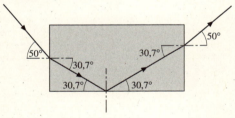

Seite 149

A 1: Der Lichtstrahl ist um 1 cm verschoben.

A 2: Die Verschiebung der Lichtstrahlen beträgt 8,4 mm bzw. 15,4 mm.

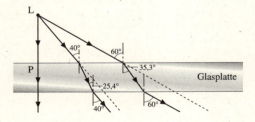

A 3: Die Scheiben sind normalerweise sehr dünn. Zudem schaut man üblicherweise senkrecht zur Fensterfläche. So bleibt die Verschiebung sehr gering. Außerdem fehlt durch den Fensterrahmen der direkte Vergleich, sodass die Verschiebung mit bloßem Auge nicht auffällt.

A 4: Das Licht, das durch die planparallele Platte verläuft, ist parallel zum ungebrochenen Licht verschoben.

A 5: Beide Lichtstrahlen werden zweimal total reflektiert und verlassen das Prisma in umgekehrter Richtung. Allerdings ist „1" jetzt unten und „2" oben.

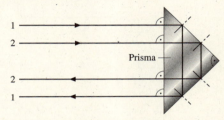

A 6: Der Lichtstrahl, der unter 40° auf das Prisma trifft, verlässt dieses auf der Gegenseite unter einem Winkel von 58°. Der Strahl, der unter 20° auf das Prisma trifft, wird auf der Gegenseite zunächst total reflektiert und verlässt das Prisma an der dritten Seite unter dem Winkel von 20°. Keine Aussage ist über den Strahl, der unter 0° das Prisma trifft, möglich, da er die gegenüber liegende Kante trifft.

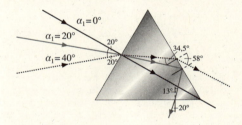

Seite 161

A 1: $\frac{1}{f} - \frac{1}{g} = \frac{1}{b}$; $\frac{1}{5\,\text{cm}} - \frac{1}{9\,\text{cm}} = \frac{1}{b} \Rightarrow b = 11{,}3\,\text{cm}$

$\frac{B}{G} = \frac{b}{g}$; $\frac{B}{3{,}7\,\text{cm}} = \frac{11{,}3\,\text{cm}}{9\,\text{cm}} \Rightarrow B = 4{,}65\,\text{cm}$

A 2:

g	b	B
9 cm	4,5 cm	1,0 cm
8 cm	4,8 cm	1,2 cm
6 cm	6,0 cm	2,0 cm
5 cm	7,5 cm	3,0 cm
4 cm	12,0 cm	6,0 cm

A 3: Zeichne die optische Achse, den Fingerhut und sein Bild ein. Der Mittelpunktstrahl – ausgehend von der Mittellinie des Fingerhuts – legt den Ort der Linse fest. Verschiebe das Bild in die Mittelebene der Linse. Damit ist der Brennpunktstrahl festgelegt.
Es ergibt sich: $b = 9{,}00$ cm, $g = 6{,}00$ cm, $f = 3{,}60$ cm.

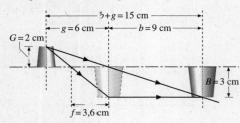

A 4: a) $f = 15{,}0$ cm
b) Aus $B = 2\,G$ folgt $b = 2\,g$. Mit der Linsengleichung ergibt sich: $\frac{1}{f} = \frac{1}{g} + \frac{1}{2g} \Rightarrow g = \frac{3}{2}f$.

A 5: $\frac{B}{G} = \frac{100\,\text{cm}}{5\,\text{cm}} = 20$; also $b = 20\,g$. Mithilfe der Linsengleichung ergibt sich: $\frac{1}{f} = \frac{21}{20\,g}$.
Daraus erhalten wir: $g = 15{,}75$ cm, $b = 315$ cm.

A 6: $\frac{B}{G} = 3 = \frac{b}{8\,\text{cm}} \Rightarrow b = 24{,}0$ cm;
$\frac{1}{f} = \frac{1}{8\,\text{cm}} + \frac{1}{24\,\text{cm}} \Rightarrow f = 6{,}00$ cm.

A 7: $\frac{1}{5\,\text{cm}} - \frac{1}{20\,\text{cm}} = \frac{1}{b} \Rightarrow b = \frac{20}{3}$ cm.
$B = G \cdot \frac{b}{g} = G \cdot \frac{1}{3}$, also ist das Bild des Geldscheins 4,80 cm lang und 2,67 cm breit.

A 8: Zunächst berechnet man aus b und g die Brennweite f: $f = 12{,}0$ cm; für die neue Gegenstandsweite von $g = 15$ cm ergibt sich die Bildweite $b = 60{,}0$ cm, d. h. das Bild verschiebt sich um 30,0 cm von der Linse weg. Der Abbildungsmaßstab wird von 30 cm/20 cm = 1,5 auf 60 cm/15 cm = 4 vergrößert.

Seite 165

A 1: a) Betrachtet man Bild 1 auf der Seite 164, so erkennt man: Je weiter der Abstand zwischen Objektiv und Leinwand ist, desto größer wird das Bild. Lisa muss die Projektionswand also möglichst weit vom Projektor aufstellen.
b) Das Bild an der Stelle der Projektionswand ist zu groß. Will sie es verkleinern, ohne den Projektor zu verschieben, so benötigt sie eine andere Objektivlinse. Sie muss erreichen, dass die Lichtstrahlen flacher auf die Projektionswand auftreffen. Das gelingt mit einer Objektivlinse größerer Brennweite. Der Abstand zwischen Kondensorlinse und Objektivlinse muss dazu auch größer werden. Damit ist auch eine Kondensorlinse mit größerer Brennweite erforderlich.

A 2: Zur größeren Gegenstandsweite gehört eine kleinere Bildweite, d. h. der Abstand zwischen Objektivlinse und Film muss verringert werden.

Seite 169

A 1: Ähnlich wie bei der Übersichtigkeit des Auges ist die Brennweite der Augenlinse zu groß. Setzt man eine Brille mit Sammellinse vor das Auge, so verkürzt sich dadurch die Brennweite.

A 2: Beim Durchgang durch ein Prisma wird jeder Lichtstrahl zweimal in die gleiche Richtung gebrochen.

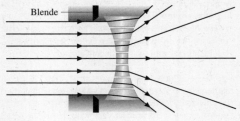

Seite 175

A 1: Bei weit entfernten Gegenständen entsteht das Zwischenbild in der Brennebene der Objektivlinse. Die optimale Vergrößerung dieses Bildes durch eine Lupe erhält man im Abstand der Brennweite der Okularlinse. Also beträgt die Länge des Fernrohrs $f_1 + f_2$.

A 2: *Übereinstimmung*: Beide Geräte besitzen eine Objektivlinse und eine Okularlinse. Bei beiden erzeugt die Objektivlinse durch optische Abbildung ein reelles Zwischenbild; dieses wird durch die als Lupe wirkende Okularlinse betrachtet.
Unterschied: Beim Mikroskop ist der Gegenstand sehr klein, doch kann man ihn beliebig nahe ans Objektiv bringen. Je näher man ihn heranbringt, desto stärker wird das Zwischenbild vergrößert. Da der Gegenstand nur abgebildet wird, wenn er sich außerhalb der Brennweite befindet, kommt man umso näher heran, je kleiner die Brennweite der Objektivlinse ist. *Beim Mikroskop muss die Objektivlinse also eine kurze Brennweite haben.*
Beim Fernrohr ist der Gegenstand groß, doch ist er weit entfernt. Es liegt in der Natur der Sache, dass man ihn nicht nahe an das Objektiv heran schieben kann. Deshalb bringt man den Brennpunkt der Objektivlinse möglichst nahe an den Gegenstand. *Man nimmt eine Objektivlinse*

OPTIK   23

mit langer Brennweite. Das Zwischenbild ist kleiner als der Gegenstand, es ist jedoch nahe am Okular. Das Auge sieht dieses nahe kleine optische Bild größer als den zwar großen, aber sehr weit entfernten Gegenstand.

A 3: Zieht man das Okular ein wenig aus dem Fernrohr heraus, so liegt das Zwischenbild außerhalb der Brennweite der Okularlinse. Dieses erzeugt nun vom Zwischenbild ein optisches Bild auf einem Schirm. Das projizierte Bild lässt sich wiederum gefahrlos für das Auge betrachten.

Seite 179

A 1: a) Blau + Gelb → Grün;
b) Hellgrün + Orange → Gelb;
c) Violett + Rot + Grün → Blau-Violett.

A 2: Der Farbeindruck bei der Addition der Farben Rot und Grün hängt ab
• von der Intensität der beiden farbigen Lichter,
• von ihrer jeweiligen Stelle im Spektrum.
a) Wenn man ein bestimmtes grünes Licht zum roten Licht addiert, ist es möglich, dass alle 3 Zapfenarten etwa gleich stark gereizt werden. Dieses erzeugt dann den Eindruck Weiß.
b) Addiert man jedoch ein anderes grünes Licht (geringer Blauanteil) mit rotem Licht, so kann man erreichen, dass die R- und G-Zapfen gleich stark gereizt werden. Das Gehirn deutet dies als gelbes Licht.

A 3: Empfängt das Gehirn gelbes Licht, so werden die R- und G-Zapfen ungefähr gleich stark gereizt, die B-Zapfen fast überhaupt nicht. Empfängt das Auge nun alle Spektralfarben ohne Violett, so werden im Wesentlichen auch nur die R- und G- Zapfen gereizt.

A 4: Der Elektronenstrahl, der die roten Farbscheibchen zum Leuchten bringt, ist ausgefallen.

A 5: Die Empfindung Weiß entsteht, wenn alle drei Zapfenarten etwa in gleichem Intensitätsverhältnis gereizt werden. Deshalb ergibt die Addition von rotem, grünem und blauem Licht entsprechender Intensität den Eindruck Weiß. Da sich aber die Empfindlichkeitskurven überlappen, kann man es aber auch schon mit zwei verschieden farbigen Lichtern erreichen, dass alle drei Zapfenarten entsprechen gereizt werden.

A 6: Man schickt weißes Licht durch den Farbfilter und führt anschließend mit einem Prisma eine spektrale Zerlegung durch.

A 7: a) Bei jeder weiteren Addition kommt Lichtenergie hinzu.

b) Jeder weitere Filter verschluckt zusätzliche Farbanteile – er filtert Lichtenergie heraus.

Seite 181

A 1: Lippenstift mit der Aufschrift „Rot" erscheint zwar bei Tageslicht rot. Je nachdem, von welcher Lichtquelle er jedoch beleuchtet wird, erscheint er evtl. in einer anderen Farbe.

A 2: Bei Beleuchtung mit Glühlicht (es hat in etwa die gleiche Spektralverteilung wie Sonnenlicht) erscheint es gelb.
Bei Beleuchtung mit gelbem Licht erscheint es strahlend hell (gelb).
In rotem Licht erscheint es eher Rot-Orange (nicht strahlend),
in blauem Licht dagegen erscheint es Schwarz (vgl. hierzu die Wirkung der Farbfilter auf Seite 179).

A 3: Der Mond hat keine Atmosphäre, sodass die Filterwirkung, wie es sie auf der Erde gibt, hier nicht gegeben ist. Die Farbe der Sonne wird sich beim Untergang also nicht ändern.

A 4: Das Sonnenlicht wird von jeder Planetenatmosphäre gefiltert, sodass die ankommende Spektralverteilung auf jeder Planetenoberfläche anders ist. Auf der Marsoberfläche erscheinen Körper daher evtl. in einer anderen Farbe als auf der Erdoberfläche. Die mitfotografierte Spektraltafel sollte die Farbzuordnung erleichtern.

Seite 184

A 1: Ist es dunstig oder nebelig, dann wird das Licht an den Wassertröpfchen gestreut. Man sieht das Lichtbündel kreisen. Ist das Wetter klar, dann sieht man das Leuchtfeuer nur, wenn das Lichtbündel das Auge direkt trifft.

A 2: Die Leuchtstoffröhre ist keine Punktlichtquelle. Man kann Sie als lange Kette von leuchtenden Punkten auffassen. Der „Gesamtschatten" der Katze entsteht als Überlagerung aus unendlich vielen einzelnen Schatten.

A 3: Ist es hinter dem Fenster dunkel, dann müsste das Licht von außen ins Schaufenster fallen, damit die Gegenstände beleuchtet sind. Das Licht wird aber zum Teil schon an der Scheibe reflektiert, sodass man eher die Straße (als Reflexion in der Scheibe) als die sehr schwach beleuchteten Auslagen sieht.
Sind dagegen die Schaufensterauslagen beleuchtet, so dringt das sehr viel hellere Licht von drinnen nach draußen, das Auge nimmt die jetzt relativ dazu schwächeren Reflexionen von außen nicht mehr wahr.

A 4: Der geschliffene Diamant hat zahlreiche gegeneinander geneigte Flächen, die wie Prismen wirken und das Licht in seine Farben zerlegen. Die Brechkraft von Glas ist sehr viel kleiner als bei Diamant, damit auch die Fähigkeit, das weiße Licht in Farben zu zerlegen.

A 5: Diesen Sachverhalt erklärt man durch Umkehrung des Lichtwegs beim Versuch zur Totalreflexion.

A 6: Flaschen sind gekrümmt. Sammelt sich in den Scherben Wasser an, dann können sie die Eigenschaft einer Linse annehmen. Befinden sich brennbare Stoffe in der Nähe des Brennpunkts, dann können diese sich bei starker Sonneneinstrahlung entzünden. Folgende Bedingungen müssen also erfüllt sein:
Die Scherbe liegt so, dass sich Wasser darin sammeln kann. Das Wasser ist klar. Der „Durchmesser" der Linse ist groß genug, sodass genügend Energie gebündelt werden kann. Das Brandmaterial ist trocken und liegt im richtigen Augenblick (Sonne wandert) in der Nähe des Brennpunkts.

A 7: $\frac{1}{f} = \frac{1}{50 cm} + \frac{1}{25 cm} = \frac{3}{50 cm}$. Die Brennweite der Linse beträgt somit 16,7 cm Das Papier muss also 16,7 cm von der Mittelebene entfernt sein, damit es sich entzündet.

A 8: Eine Lupe kann nur die Energie auf einen Punkt bündeln, die durch ihre Linse tritt. Je größer die Lupe, desto mehr Energie tritt durch ihre Linse. Damit wird im Linsenbrennpunkt das Material schneller erhitzt und erreicht den Flammpunkt schneller.

A 9: a) Mit der Linsengleichung ergibt sich im ersten Fall ($b = 3$ m) eine Gegenstandsweite von 92,8 mm. Der Abbildungsmaßstab beträgt 32,3. Das Bild ist also 77,5 cm x 116 cm groß.
Im Klassenzimmer ($b = 9$ m) beträgt die Gegenstandsweite 90,1 mm. Der Abbildungsmaßstab ist damit 100. Das Bild ist also 240 cm x 360 cm groß.
b) Um den gleichen Abbildungsmaßstab im Klassenzimmer zu erreichen, muss weiterhin $A = 32,3$ sein. Hält man die Position des Dias fest, dann ist $b + g = 9,09$m. aus $b/g = 32,3$ und $b + g = 9,09$ erhält man $g = 27,3$ cm und $b = 882$ cm. Damit ist $f = 265$ mm.
Hält man dagegen b mit 900 cm fest, dann ist $f = 270$ mm.
c) Je größer das Bild auf der Leinwand ist, desto mehr „verteilt" sich die Energie, die das Dia durchsetzt. Bei einer Verdreifachung des Abbildungsmaßstabs vergrößert sich die Fläche auf das Neunfache. Damit sinkt die Bildhelligkeit auf ein Neuntel.

A 10: Wird ein Gegenstand fotografiert, der sehr weit vor dem Objektiv steht, so ist die Bildweite $b = f = 10$ cm.

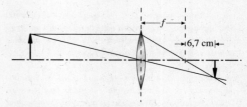

Die Zeichnung ergibt, dass das Bild etwa 6,7 cm hinter der Brennebene entsteht. Das Objektiv muss also um genau diese Streckenlänge verschoben werden.

A 11: a) Für den Abbildungsmaßstab gilt: $B/G = b/g$, mit $b = f_1 = 2$ m, $g = 380000$ km und $B = 1,8$ cm. Umstellung der Gleichung für den Abbildungsmaßstab liefert: $G = B \cdot g/b = 3420$ km.
b) $V = f_1/f_2 = 2000$ mm/30 mm = 67.

A 12: $B = 36$ mm, $G = 1,7$ m und $f = 50$ mm. Aus dem Abbildungsmaßstab $B/G = b/g$ und der Linsengleichung $1/b = 1/f - 1/g$ folgt
$G/g = B/b = B \cdot (1/f - 1/g)$ und damit
$g = f \cdot (G + B)/B = f \cdot (G/B + 1)$. Also $g = 2,41$ m.

A 13: Die deutliche Sehweite ist bei Kurzsichtigen kleiner, sie können ein Buch dichter ans Auge halten. B_o ist damit größer als bei Normalsichtigen.

A 14: Für die Vergrößerung gilt:
$V = B_m/B_o = 30$ mm/0,05 mm = 600.

A 15: a) Farbige Lichter werden unterschiedlich stark gebrochen.
b) Blaues Licht wird in Glas stärker gebrochen als rotes, sodass die Brennweite für blaues Licht kleiner ist als die für rotes Licht.

A 16: 1. Schicke das grüne Lichtbündel durch ein Prisma. Spektralreines Licht wird es unzerlegt verlassen.
2. Schicke das Licht durch einen Filter, der alle Farben außer Grün verschluckt. Durchdringt das Licht diesen Filter (fast) ungeschwächt, so ist es spektralrein.

A 17: a) Das Kleid erscheint in der Mischfarbe von Rot und Grün (je nach Intensität der beiden farbigen Lichter evtl. Weiß oder Gelb).
b) Die beiden Schatten auf der Bühne sind jeweils Halbschatten. Der eine, der kein rotes Licht erhält, erscheint Grün, der andere Rot.

A 18: Man muss die Sonne im Rücken haben, also muss man nach Osten blicken.

A 19: a) AMB ist ein gleichschenkliges Dreieck, also ist ∠BMA = 180°−2 β. ∠AMD ist Ergänzungswinkel dazu, also ∠AMD = 2 β.

b) In B wird der Strahl reflektiert. Damit ist BM Symmetrieachse.

c) Man liest den zu α gehörenden Wert von β ab und multipliziert ihn mit 4. Damit hat man die Weite von ∠AMC. Somit kann man C konstruieren. Mit α erhält man die Richtung des Lichtstrahls, der den Tropfen verlässt.

Seite 187

A 1: Die beiden Magnete stoßen sich ab, wenn man gleichnamige Pole einander nähert. Der Eisenkörper wird immer angezogen, gleichgültig, welchen Magnetpol man ihm nähert.

A 2: Die Stabmagnete stoßen sich seitlich ab, wenn sich gleichnamige Pole nebeneinander befinden. Befinden sich ungleichnamige Pole nebeneinander, so ziehen sich die Stabmagnete an.

A 3: Ungleichnamige Pole schwächen sich in ihrer Wirkung nach außen ab.

Seite 189

A 1: Die magnetisierte Nadel verhält sich wie jede Kompassnadel: Sie dreht sich in Nord-Süd-Richtung.

A 2: Es entsteht in allen Bildern links ein Südpol und rechts ein Nordpol.

Seite 191

A 1: Die Elementarmagnete des Eisens richten sich so aus, dass ihre Südpole zum Nordpol der Magnetnadel zeigen. Ungleichnamige Pole ziehen sich an, hier also der Südpol des Eisenstücks den Nordpol der Magnetnadel.

A 2: Bevor die Magnetnadel sich abwenden kann, wird das schwach magnetisierte Eisenstück ummagnetisiert und jetzt angezogen.

A 3: Nach der Drehung liegt der Nordpol der Nadel näher an der (Süd-) Polfläche des Magneten als ihr Südpol. Die anziehende Kraft auf den nahen Nordpol ist größer als die abstoßende Kraft auf den weiter entfernten Südpol. Dies gilt auch für die Elementarmagnete.

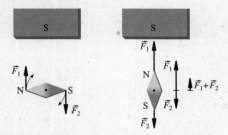

A 4: a) Beide Enden des Eisenstabes werden von dem sich nähernden Magneten angezogen. Beim Stabmagneten entsteht an einem Ende Abstoßung (gleichnamige Pole stehen sich gegenüber).

b) Der Stab, der mit seinem Ende den anderen Stab in der Mitte genau so kräftig anzieht wie an jeder anderen Stelle, ist der Stabmagnet.

Seite 196

A 1: Nach dem Ordnen der Elementarmagnete im Nagel liegen ihre Südpole jeweils näher an dem Nordpol des Stabmagneten als ihre Nordpole. Die anziehende Kraft ist damit insgesamt größer als die abstoßende.

A 2: a) Der Kraftpfeil liegt tangential zur Feldlinie, die Pfeilspitze zeigt nach oben (Richtung S). Die von den Einzelfeldern her rührenden Kraftkomponenten zeigen in Richtung NA (abstoßende Kraft) bzw. in Richtung AS (anziehende Kraft).
b) Es stehen sich zwei Südpole gegenüber.
Die Kompassnadel würde sich tangential zur Feldlinie ausrichten. Ihr Nordpol würde zum Südpol S hin zeigen.
c) Im linken Bild verlaufen die Feldlinien von Pol zu Pol. Wir wissen aus Experimenten mit Eisenpulver, dass sich dabei ungleichnamige Pole gegenüber stehen. Im rechten Bild scheinen sich die Feldlinien zu „verdrängen"; es liegt eine abstoßende Wirkung vor.

A 3: Die Erde wirkt in jedem Punkt des Raumes auf den Satelliten mit der „Schwerkraft" (Gravitationskraft) zum Mittelpunkt der Erde hin. Eine abstoßende Wirkung gibt es nicht. Ein Stabmagnet besitzt zwei Pole, an dem die Feldlinien enden. Allen Feldern gemeinsam ist die Wirkung der Kräfte in Richtung der Feldlinien.

A 4: a) Die Magnetnadel zeigt zum magnetischen Südpol hin.
b) Am magnetischen Nordpol.
c) *Deklination:* Die Richtung einer Magnetnadel bildet mit der geografischen Nord-Süd-Richtung einen bestimmten Winkel.
Inklination: Die magnetischen Feldlinien der Erde treffen unter einem bestimmten Winkel auf die Oberfläche der Erde. Eine Magnetnadel (waagerechte Achse) dreht sich um diesen Winkel aus der Horizontalebene und zeigt schräg nach unten.
Aus Inklination und Deklination kann man die Feldlinienrichtung bestimmen.

LADUNG – STROM – SPANNUNG

Seite 199

A 1: Gleiches Prinzip, aber verschiedene technische Details: Ein Kurzschluss zwischen Sockel mit Gewinde und Kontaktpunkt wird durch die Isolation verhindert.

A 2: Die Feder presst Pluspol der Batterie an das Lämpchen und stellt einen sicheren Kontakt zwischen Minuspol und Gehäuse her.
In Taschenlampen mit Kunststoffgehäuse ersetzt ein Draht das elektrisch leitende Metallgehäuse.

Seite 201

A 1: a) Wasserpumpe – Stromquelle (Generator), Turbine - Lampe usw., Absperrventil – Schalter
b) Im geschlossenen Wasserstrom „kreis" geht kein Wasser verloren.
Man braucht zwei Wasseranschlüsse für Zu- und Abfluss.
c) Das Absperrventil im geschlossenen Kreis ist auch in der Rückleitung möglich.
d) Einem schlechten Leiter entspricht im Wassermodell ein dünnes, langes, fast verstopftes Rohr
e) Ein elektrischer Schalter bzw. ein Ventil haben sich entsprechende Funktionen im elektrischen Stromkreis bzw. im Wasserstromkreis.
f) Die Energie gelangt zur Turbine und wird dort als mechanische Energie oder als thermische Energie (Wärme) abgegeben. Beim elektrischen Stromkreis liefert der Generator Energie, die im „Verbraucher" umgewandelt wird (in mechanische Energie, innere Energie, Licht).

A 2: a) Nein, Strom muss dem Wortsinn nach strömen.
b) „Es fließt Strom" suggeriert, dass Strom die hier „fließende" Substanz ist; dies Sprechweise liefert einen sog. Pleonasmus, d. h. eine unnötige Häufung sinnähnlicher Ausdrücke, die statt zu erhöhter Klarheit zu Verwirrung führen kann. Wir sprechen deshalb im Buch nicht vom „fließenden Strom", sondern von „fließender Ladung" oder von „fließenden Elektronen" als Ladungsträgern.

A 3: Mögliche Stichworte: Verkehrsstrom – elektrischer Strom; Fahrzeuge – elektrische Substanz; Fähre, Transport von Autos – Metallkugel Transport elektrischer Substanz; Aufleuchten der Glimmlampe als Indiz für Veränderung der Metallkugel am Pol einer Quelle. Einführen des Begriffs elektrische Ladung.
(Eine Vielfalt der Lösungen der Schüler ist zu akzeptieren.)

Seite 203

A 1: a) Nach *Vermutung A:* Die negativen Ladungsträger im Elektroskop würden von der positiven Ladung der Kugel nach oben gezogen werden. Die positive Ladung würde im Elektroskop am Ort verbleiben. Damit ergäbe sich ein Überschuss an negativer Ladung auf der Metallkugel auf dem Elektroskop.
Nach Vermutung B: Die positiven Ladungsträger im Elektroskop würden von der positiven Ladung der Kugel nach unten abgestoßen werden. Die negative Ladung würde im Elektroskop am Ort verbleiben. Damit ergäbe sich ein Überschuss an negativer Ladung auf der Metallkugel auf dem Elektroskop.
Nach Vermutung C: Die negativen Ladungsträger im Elektroskop würden von der positiven Ladung der Kugel nach oben gezogen werden, die positiven Ladungsträger im Elektroskop würden von der positiven Ladung der Kugel nach unten abgestoßen werden. Damit ergäbe sich ein Überschuss an negativer Ladung auf der Metallkugel auf dem Elektroskop.
b) analog wie a)

Seite 205

A 1: a) Versuch 1 spricht für eine Verschiebung von negativ geladenen, nicht an Materie gebundenen Ladungsträgern. Die Denkmöglichkeit A bei der Influenz wird bestätigt.
b) In Versuch 4, S. 203 sind Elektronen nach oben geflossen; die Influenzladung Q_{i-} besteht aus Elektronen; Q_{i+} bedeutet, es überwiegt die positive Ladung (Elektronen fehlen).

A 2: a) Um zu testen, ob auch positive Ladungsträger aus dem Draht freigesetzt werden können.
b) Ein geringer Überschuss an Elektronen auf dem Elektroskop verhindert, dass weitere Elektronen auf das Elektroskop gelangen.

A 3: a) Die linke und die obere Ablenkplatte muss man negativ laden, die beiden anderen positiv.
b) In 1 s ist der Lichtpunkt 50-mal oben und 50-mal unten.

A 4: Die Elektronen würden weiteren Elektronenzufluss blockieren - siehe Aufgabe A2b).

Seite 207

A 1: a) Die Reihenfolge von Glimmlampe und Quelle ist gleichgültig; der Pluspol befindet sich links (zur Anode hin), der Minuspol weist im Kreis zur Glimmlampe hin.
b) Quellen lassen sich - wie Wasserpumpen – hintereinander legen: Der Elektronenausgang (Minuspol) der einen Quelle wird mit dem Elektroneneingang (Pluspol) der anderen Quelle verbunden. Bei Wechselstrom müssten also gleichzeitig die Polarität wechseln.

c) Man könnte auch mehrere Glimmlampen hintereinander legen (Versuch 1). Jeweils würde das Gas um die Elektroden leuchten, die zum Minuspol der Quelle zeigen.

A 2: Mit dem Absinken der Temperatur des Glühdrahts versiegt der Elektronenausstoß.

A 3: In 10 s ist der eine Pol der Steckdose 500-mal positiv und 500-mal negativ geladen. Es finden also 1000 Umladungen statt. Die Bewegungsrichtung der Elektronen wechselt 1000-mal in 10 s.

Seite 211

A 1: Mitteilungen: Vor allem bei der Größe der Elektronen und ihrer Ladung. Kein Physiker kommt ohne die Übernahme geprüfter Mitteilungen anderer aus.

A 2: „Elektrisch neutral" heißt: Es ist keine Ladung oder gleich viel an positiver und negativer Ladung vorhanden. Alle aus Atomen bestehende Körper haben Ladung, auch wenn sie neutral sind bzw. die Ladung neutralisiert ist. (Dies gilt auch für Neutronensterne; die Quarks in Neutronen sind ebenfalls geladen; siehe Dorn·Bader Physik, Sek.II)

A 3: Elektronen werden vom Äußeren der Anordnung (Becheroberfläche und Elektroskop) in die Kugel gezogen. Das Innere ist neutral; die Becheroberfläche und das angeschlossene Elektroskop sind positiv geladen.

A 4: Ja, Magnete nehmen auch Elektronen auf oder geben Elektronen ab.
Nein, im Kupfer gibt es keine „Elementarmagnete", die sich ausrichten lassen könnten.

Seite 215

A 1: Ein Strom führender Leiter wird in Nord-Süd-Richtung über der Kompassnadel angebracht. Bewegen sich in ihm Elektronen von Süd nach Nord, dann wird die Kompassnadel nach „rechts", also nach Osten abgelenkt.

Bewegen sich die Elektronen von Nord nach Süd, dann erfolgt die Ablenkung nach „links" in westliche Richtung.

Um die Kompassnadel nach Süden abzulenken, muss der Strom führende Leiter senkrecht stehen (vgl. Versuch 2). Wenn sich die Elektronen nach oben bewegen, muss man die Kompassnadel auf die linke Seite des Leiters stellen.

A 2: Die Feldlinien bilden Kreise in Ebenen, die senkrecht zum Leiter liegen. Sie weisen vorne nach unten, hinten nach oben.

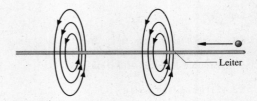

Seite 217

A 1: Die Elementarmagnete des Eisenstabs sind mit ihren Nordpolen in die Feldlinienrichtung gedreht. Diese Nordpole erfahren im Feld Kräfte nach unten (in Richtung der Feldlinien), Südpole dagegen nach oben.

A 2: Der Südpol des Stabes befindet sich nun in einem stärkeren Feld als der Nordpol. Deshalb überwiegt nun eine Kraft nach oben. Nord- und Südpol haben sich nicht geändert.

A 3: Ja (Linke-Faust-Regel).

Seite 221

A 1: Waschmaschinen z. B. haben Motoren, Relais und Magnete zum Steuern von Ventilen.

A 2: a) Klingeln werden meistens mit Wechselstrom betrieben, weil die Betriebsspannung durch Heruntertransformieren der Netzspannung erreicht wird.
b) Die Zeit, während der der Stromkreis geschlossen, also der Magnet wirksam ist, wäre viel kürzer; die Klingel funktioniert dann so gut wie nicht.

A 3: a) Der Nordpol der Nadel wird zum Nordpol der Spule gezogen (Magnetfeldrichtung im Innern einer Spule vom Süd- zum Nordpol!)
b) Die Kompassnadeln richten sich längs der Magnetfeldlinien aus. Der Nordpol der Kompassnadel „zeigt" in Richtung Südpol der Spule.

A 4: Vorrang hat die Richtungsangabe durch die Feldlinienrichtung (Vgl. auch Aufgabe A3). Dies gilt auch für Elementarmagnete in Spulen, ja sogar im Dauermagneten! Die beliebten Polregeln sind also problematisch (sie gelten nur außerhalb von Spulen oder Magneten); die Feldgesetze gelten dagegen immer.

A 5: Kreisleiter drehen sich so, dass die Umlaufsinne der Elektronenströme gleich werden (Bild B1 und B2 von Seite 216).

A 6: *Dreheiseninstrument:* Die Eisenstäbe liegen parallel (Nordpol neben Nordpol). Siehe Versuch 2, Seite 220.

LADUNG – STROM – SPANNUNG

Reed-Relais: Die Eisenstäbe liegen hintereinander, Nordpol neben Südpol; deshalb erfolgt Anziehung statt Abstoßung (Bild B6, Seite 219).

A 7: a) Nein, im Gegenteil: Die Drähte entfernen sich in Versuch 1 von den Polen; sie bestehen zudem meist aus Kupfer oder Aluminium.
b) Das Instrument wäre dann zwar als Anzeiger sehr kleiner Stromstärken empfindlicher; ein Unterscheiden verschieden großer Stromstärken wäre dann aber nicht mehr möglich.

A 8: a) Dann schlägt der Zeiger in entgegengesetzte Richtung aus.
b) Bei Wechselstrom von 50 Hz zittert der Zeiger um die Mitte (Nulllage) hin und her.
c) Der Wechselstrom muss zuerst in Gleichstrom umgewandelt werden (gleichgerichtet werden).

A 9: Das Dreheiseninstrument zeigt bei Gleich- und Wechselstrom einen Ausschlag. Das Drehspulinstrument zeigt bei Wechselstrom erst nach Gleichrichten einen Ausschlag.

A 10: Parallaxenfreie Ablesung.

A 11: Die Spulenachse sollte in Ost-West-Richtung liegen.

Seite 223

A l: a) $Q = 38$ cm^3/(0,19 cm^3/C) $= 200$ C.
$I = Q/t$ ist nicht berechenbar, da t nicht angegeben ist.
b) Nein; siehe Schlauch in Bild B1, Seite 222.

A 2: a) $Q = 57$ cm^3/(0,19 cm^3/C) $= 300$ C;
$I = 300$ C/ 30 s $= 10$ A.
b) In 1 s: $Q = 2$ C und $V = 0,38$ cm^3 Gas;
Zeit $t = 50$ cm^3/(0,38 cm^3/s) $= 132$ s.
c) $Q = 3 \cdot 60$ s $\cdot 5$ C/s $= 900$ C;
$V = 900$ C $\cdot 0,19$ cm^3/C $= 171$ cm^3.
d) Im *Elektronenbild:* Die Elektronenzahl je s durch jeden Querschnitt ist gleich groß; in dünnen Drähten fließen Elektronen schneller als in dicken (nach klassischer Drude-Theorie).

A 3: Die Zeitdauer beträgt 9 h; die durchschnittliche Besucherstromstärke ist somit 6500 Besucher in 9 h $\approx$ 722 Besucher pro Stunde.

A 4: Dateigröße: 1,44 Mbyte = 1,44 · 8 Mbit = 11,52 Mbit.
Die minimale Downloadzeit beträgt somit
$t = 11,52$ Mbit/(64 kbit/s) $= 180$ s.

Seite 225

A 1: Knallgaszellen messen nur Ladung, unabhängig von der Zeit (siehe Ionentheorie). Drehspulinstrumente reagieren auf die Stärke des Magnetfeldes, das – unabhängig von der Zeit - nur von der Stromstärke abhängt, nicht aber von der Ladung.

A 2: Wenn Autos an der 2. Kontrollstelle kurzzeitig dichter fahren, kann die Verkehrsstromstärke größer sein, auch wenn die Fahrzeuge langsamer fahren! Die Stromstärke ist kein Maß für die Geschwindigkeit!
Auch könnten Autos an einem Parkplatz ausscheren oder sich neu in den Verkehr einfädeln. Elektronen können sich viel weniger individualistisch verhalten! Beim unverzweigten Stromkreis ist die Stromstärke überall gleich groß.

A 3: a) $Q = I \cdot t = 3$ A $\cdot 30$ s $= 90$ C;
$V = (0,19$ cm^3/C) $\cdot 90$ C ≈ 17 cm^3;
b) Taschenlampenbatterie: $Q = 0,2$ A $\cdot 28800$ s $= 5760$ C;
$V \approx 1094$ cm^3.

A 4: $Q_1 = 23,4$ cm^3/(0,19 cm^3/C) $= 123$ C;
$I_1 = 123$ C/60 s ≈ 2 A;
$Q_2 = 27$ cm^3/(0,19 cm^3/C) ≈ 142 C $> Q_1$;
$I_2 = 142$ C/80 s $\approx 1,8$ A $< I_1$.

A 5: $W = F \cdot s$; 1 J = 1 N · 1 m;
$v = s/t$; 1 m/s = 1 m/1 s.

A 6: a) $V = (0,19$ cm^3/C) $\cdot 100$ C $= 19$ cm^3;
$I = 100$ C/200 s $= 0,5$ A.
b) In einem bestimmten Querschnitt ist auch hier nur die Ladung 100 C geflossen; Die Stromstärke I bleibt. Man stelle sich vor, der Tankwart in Bild 1 von Seite 222 würde ähnlich denken und handeln!

A 7: $I = (21/30) \cdot 2$ A $= 1,4$ A.

A 8: Die Anzeige des ersten Strommessers geht auf $I = 1,0$ A zurück. Der Ladungsfluss beträgt 1 C/s bzw. 1,5 C/s und in der gemeinsamen Zuleitung 2,5 C/s.

A 9: $Q_1 = 40$ cm^3/(0,19 cm^3/C) $= 211$ C;
$I_1 = 211$ C/60 s $= 3,5$ A;
$Q_2 = 20$ cm^3/(0,19 cm^3/C) $= 105$ C;
$I_2 = 105$ C/60 s $= 1,75$ A;
Der parallel liegende Strommesser zeigt: $I_2' = 1,75$ A
($I_2 + I_2' = I_1 = 3,5$ A).

A 10: Volumen der Silberschicht: $V = 2$ cm^3 (bei dieser Genauigkeit kann man auf die Randfläche verzichten).
Masse: $m = 2 \cdot 1$ cm^3 10,5 g/cm^3 $= 21$ g;

$Q = 21$ g/(0,00112 g/C) = 18750 C;
$t = Q/I$ = 18750 C/10 A = 1875 s = 0,52 h.

A 11: 1 Ah = 3600 C.
a) $t = Q/I$ = 84 Ah/2 A = 42 h.
Ladung fließt wieder zurück.
b) I = 10 A; t = 84 Ah/10 A = 8,4 h.

Seite 227

A 1: Der Minuspol einer Batterie hat Elektronenüberschuss. Dies hat nichts mit dem Nordpol eines Magneten zu tun. Am geographischen Nordpol der Erde (genauer in der Nähe) befindet sich der magnetische Südpol des Erdmagnetfeldes.

A 2: a) Man berührt die Bandgeneratorkugel mit der isolierten Metallkugel. Dann bestimmt man die Polarität der Ladung auf der isolierten Metallkugel mit der Glimmlampe.
b) Man bringt 2 neutrale, isolierte Metallkugeln, die sich berühren, in die Nähe der Bandgeneratorkugel. Hier trennt man die Metallkugeln. Auf Grund von Influenz tragen beide Metallkugeln entgegengesetzte Ladung. Die Metallkugel, die weiter vom Bandgenerator entfernt war, hat die gleiche Ladungspolarität wie die Bandgeneratorkugel. Dies weist man mit der Glimmlampe nach.

A 3: Ein Strom führender Leiter ist von einem Magnetfeld umgeben. (Bekannt seit OERSTEDs Zufallsentdeckung, 1820); Anwendungen beim Elektromagnetismus, auch in Motoren.

A 4: a) Bei elektrischen Kräften gibt es Anziehung und Abstoßung, bei der Gravitation nur Anziehung (es gibt zwei Arten von Ladung, aber nur eine Art von Masse).
b) Die Wirkung unterschiedlicher Magnetpole bzw. unterschiedlicher Ladungen hebt sich nach außen hin auf. Neutralisieren bedeutet aber nicht Ladungsvernichtung.
c) Nein, da es nur eine Art Masse gibt, gibt es keine Neutralisierung.

A 5: Es erfolgt Ladungstrennung durch Influenz; vgl. Bild 2, Seite 210. Das näher liegende Kügelchen wird angezogen, das abliegende Kügelchen wird abgestoßen.

A 6: Ja, das Magnetfeld des Stabmagneten (von Pol zu Pol) wird von kreisförmigen Feldlinien um den Stabmagneten überlagert. Eine Magnetnadel dreht sich etwas quer zur Stabachse.

A 7: a) Die näher am Bandgenerator befindliche Kugel wird durch Elektronenzufluss negativ, die andere durch Abfluss von Elektronen gleich stark positiv geladen. Zusammen sind beide Kugeln elektrisch neutral.

b) Nach der Vorstellung fließender Elektronen spielen Größe und Lage der Kugeln keine Rolle (Ladungserhaltung).
c) Überspringende Ladung hört man i. Allg. durch „Knistern". Zudem wären dann die beiden Kugeln zusammen nicht neutral.

A 8: Beim Annähern positiver Ladung wächst der Ausschlag, da noch mehr Elektronen vom Blättchen nach oben zum Knopf gezogen werden. Beim Annähern negativer Ladung geht der Ausschlag zurück; Elektronen werden vom Knopf ins Blättchen gedrängt. Berühren erhöht die jeweilige Veränderung des Ausschlags.

A 9: Wattestücke und Ionen wandern wegen ihrer Ladung. Doch werden Ionen nicht umgeladen; sie fließen also nicht wieder zurück. Die Wattestückchen werden durch Elektronenzufluss bzw. -abfluss umgeladen. Auch Ionenladung kommt durch Überschuss an positiver Ladung (Elektronen fehlen) bzw. Überschuss an Elektronen zustande (Bild 1, Seite 213).

A 10: Dieser häufige Trugschluss rührt daher, dass Karin zwischen den Begriffen „Ladung" und „Ladungsträger" nicht zu unterscheiden gelernt hat. Weil die Metallkugel negativ geladene Ladungsträger an den positiv geladenen Bandgenerator abgegeben hat, nahm sie positive Ladung an, ohne positiv geladene Ladungsträger aufgenommen zu haben. Der Bandgenerator hat positive Ladung (Einzahl!) verloren, obwohl er keine positiv geladenen Ladungsträger (Mehrzahl) abgab.
Ladung ist eben ein physikalischer Maßbegriff (in Coulomb angebbar), der beim Generator abnahm, bei der Kugel zunahm. Insgesamt blieb dabei die positive Ladung konstant. Er darf – auch im elektronischen Zeitalter - nicht mit geladenen Teilchen gleichgesetzt werden. Man soll eben nicht von „Ladungen" sprechen, wenn man Ladungsträger meint! Vergleiche mit Geld, Schulden und Geldmünzen mögen helfen! Ähnliche Probleme treten auf, wenn man die Begriffe Masse und Körper nicht klar unterscheidet.

A 11: Die Abstoßung durch die anwachsende Elektroskopladung wirkt einem weiteren Ladungsübertritt auf das Elektroskop immer stärker entgegen (würde durch Faradaybecher verhindert).

A 12: a) Schritt 1 und 2: Der Ausschlag steigt.
Schritt 3 und 4: Der Ausschlag nimmt ab, die Ladungen haben sich neutralisiert.
Schritt 5: Der Ausschlag steigt wieder, aber nun von entgegengesetzter Ladung verursacht.
b) Elektronen werden von der Oberfläche ins Innere gezogen. Außen kann man positive Ladung abnehmen; berührt

LADUNG – STROM – SPANNUNG

man außen mit einer Glimmlampe, so leuchtet das Gas um die abgewandte Elektrode auf.

A 13: a) Die ungeladene Metallkugel hat gleich viel an positiver wie an negativer Ladung; diese üben entgegengesetzt gerichtete Kräfte von genau gleicher Größe aus.
b) Die kleinen Kügelchen influenzieren in den ihnen zugewandten Teilen der großen Kugel jeweils entgegengesetzte Ladung; dies hat eine schwache Anziehung zur Folge – ein Beweis, dass es in der großen Kugel bewegliche Ladungsträger gibt.

A 14: a) Elementarladung: $e = 1/(6{,}24 \cdot 10^{18})$ C = $1{,}602 \cdot 10^{-19}$ C;
b) $n = 6{,}24 \cdot 10^{19}$ Elektronen ergeben die Ladung $Q = 6{,}24 \cdot 10^{19} \cdot 1{,}602 \cdot 10^{-19}$ C = 10 C.
c) Auf der Kugel sitzen $6{,}24 \cdot 10^{11}$ Elektronen (zum Vergleich: Erdbevölkerung derzeitig ca. $6{,}1 \cdot 10^9$ Menschen).

Seite 229

A 1: $Q = I \cdot t = 0{,}8$ A $\cdot$ 1 s = 0,8 C;
$U = W/Q = 96$ J/0,8 C = 120 J/C = 120 V.

A 2: a) $Q = I \cdot t$; $Q_{1\,s} = 3{,}0$ A $\cdot$ 1 s = 3,0 C;
b) $W = U \cdot Q$; $W_{1\,s} = 12$ V $\cdot$ 3,0 C = 36 V $\cdot$ C = 36 J;
$Q_{5\,min} = 3{,}0$ A $\cdot$ 300 s = 900 C;
$W_{5\,min} = 12$ V $\cdot$ 900 C = 10800 J.

Seite 231

A 1: $Q = I \cdot t = 0{,}2$ A $\cdot$ 1 s = 0,2 C;
$W = U \cdot Q = 4{,}5$ V $\cdot$ 0,2 C = 0,9 J;
$P = W/t = 0{,}9$ J/1 s = 0,9 W.

A 2: $W_1 = U_1 \cdot Q \Rightarrow W_2 = U_2 \cdot Q$ (wegen der Reihenschaltung fließt durch beide Zellen die gleiche Ladung Q);
$W_{ges} = W_1 + W_2 = Q \cdot (U_1 + U_2) = Q \cdot U_{ges}$.
Die Gesamtspannung ist die Summe der Einzelspannungen.
Bei Gegeneinanderschaltung gilt: $U_{ges} = U_1 - U_2 = 0{,}5$ V.

A 3: Energieabgabe in 1 s in der
Haushaltslampe: $W = 230$ V $\cdot$ 0,4 A $\cdot$ 1 s = 96 VAs = 96 J,
6 V-Lampe: $W = 6$ V $\cdot$ 5 A $\cdot$ 1 s = 30 J.
Die abgegebene Energie hängt von I und U ab.

A 4: Die beiden Monozellen sind in Reihe geschaltet, der Kassettenrekorder benötigt 3 V; bei Gegeneinanderschaltung ist $U = 0$ V. Bei Spannung 0 V läuft der Rekorder natürlich nicht.

Seite 233

A 1: Beim Einschalten des Herdes dreht sich die Scheibe deutlich schneller als beim Einschalten der Lampe.

A 2: Zeit für 1 Umdrehung messen; $P = W/t$;
Die konstante Dauerleistung muss man abziehen.

A 3: $W_{11\,W} = 0{,}011$ kW $\cdot$ 10 h = 0,11 kWh $\Rightarrow$
Die Kosten betragen 0,01 €;
$W_{2\,kW} = 2$ kW $\cdot$ 10 h = 20 kWh $\Rightarrow$
Die Kosten betragen 2 €.

Seite 235

A 1: $W = P \cdot t = 2$ kW $\cdot$ ½ h = 1 kWh = $3{,}6 \cdot 10^3$ kJ.

A 2: a) $I = P/U = 2000$ W/230 V = 8,7 A;
b) $W = P \cdot t = 2$ kW $\cdot$ $^1/_6$ h = $^1/_3$ kWh = $1{,}2 \cdot 10^3$ kJ;
c) Die Kosten betragen 0,033 €.
d) Die Masse der Luft ist: $m = 1$ kg/m^3 $\cdot$ 100 m^3 = 100 kg.
Aus $W = c \cdot m \cdot \Delta\vartheta$ folgt $\Delta\vartheta = 12$ K.

A 3: a) $P = \frac{W}{t} = \frac{1}{375}$ kWh/ ($\frac{1}{6}$ h) = 16 W.

A 4: a) $P = U \cdot I = 3$ V $\cdot$ 0,9 A = 2,7 W.
Man benötigt 2 Monozellen.
b) $W = P \cdot t = 0{,}0027$ kW $\cdot$ 5,5 h $\approx$ 0,015 kWh = 54000 J;
die Zahl der Elektronen bleibt konstant.
c) $W = c \cdot m \cdot \Delta\vartheta = 4{,}19$ kJ/(kg $\cdot$ K) $\cdot$ 10 kg $\cdot$ $\Delta\vartheta = 27$ kJ.
Daraus folgt $\Delta\vartheta = 0{,}64$ K.
d) Bei der Batterie kostet 1 kWh 133,33 €.

A 5: a) $I_{55\,W} = 55$ W/12 V = 4,6 A;
$I_{6\,W} = 6$ W/12 V = 0,5 A.
b) $I_{ges} = 2 \cdot (4{,}6$ A + 0,5 A) = 10,2 A.
c) Unter der Voraussetzung, dass I konstant ist, gilt:
10,2 A $\cdot t = 44$ Ah $\Rightarrow t = 4{,}3$ h.
(Wegen des größeren Innenwiderstands der teilentleerten Batterie würde die Klemmenspannung beim Starten ($I > 100$ A) nach $U_{Kl} = U_0 - I \cdot R_i$ zu stark absinken).

A 6: $P_{2\,Zellen} = U \cdot I = 3$ V $\cdot$ 0,9 A = 2,7 W;
$P_{4\,Zellen} = 6$ V $\cdot$ 0,9 A = 5,4 W.

A 7: a) $P = U \cdot I = 3$ V $\cdot$ 0,1 A = 0,3 W;
b) Aus $W = P \cdot t$ folgt $t = 2 \cdot 3200$ J/0,3 W = 21333 s $\approx$ 6 h.

Seite 240

A 1:

47000 Ω = 47 kΩ	4300 Ω = 4,3 kΩ
22 Ω	*) 460000 Ω = 460 kΩ
*) 6800 Ω = 6,8 kΩ	*) 1300000 Ω = 1,3 MΩ
*) 150000 Ω = 150 kΩ	68000 Ω = 68 kΩ

*) Die Codierung ist von rechts zu lesen.
Der 4. Ring gibt jeweils die Toleranzen an:
braun: ± 1%; rot: ± 2%; gold: ±5%; silber: ± 10%.

Seite 241

A 2: Die Gleichung $I = U/R$ ist die Definition von R; das ohmsche Gesetz lautet: $I \sim U$; es gilt bei Metallen für konstante Temperatur T. Die U-I-Kennlinie ist eine Ursprungsgerade.

A 3: R ist proportional zu l/A: $R_2 = \frac{3}{5} \cdot R_1 = 60 \ \Omega$;
$I_2 = U/R_2 = \frac{5}{3} \cdot I_1$.

A 4:

U in V	20	12	**120**
I in A	4	**0,06**	0,08
R in Ω	**5**	200	1500

A 5: a) $R = 230 \ \text{V}/4 \ \text{A} = 57,5 \ \Omega$;
b) $I = 220 \ \text{V}/57,5 \ \Omega = 3,8 \ \text{A}$;
c) $U = 1 \ \text{A} \cdot 57,5 \ \Omega = 57,5 \ \text{V}$.

A 6: $R_{2 \text{ V}} = 2 \ \text{V}/0,038 \ \text{A} = 52,6 \ \Omega$;
$R_{230 \text{ V}} = 230 \ \text{V}/0,435 \ \text{A} = 528,7 \ \Omega$;
Der Widerstand R steigt mit der Temperatur T.

A 7: $I_{60 \text{ w}} = P/U = 60 \ \text{W}/230 \ \text{V} = 0,26 \ \text{A}$;
$I_{100 \text{ w}} = 100 \ \text{W}/230 \ \text{V} = 0,44 \ \text{A}$;
$R_{60 \text{ w}} = U/I = 230 \ \text{V}/0,26 \ \text{A} = 885 \ \Omega$;
$R_{100 \text{ w}} = 230 \ \text{V}/0,44 \ \text{A} = 523 \ \Omega$,
d. h. $R_{60 \text{ w}} > R_{100 \text{ w}}$.
Bei gleichem Querschnitt ist die Wendel der 60 W-Lampe länger als die der 100 W-Lampe, bei gleicher Länge ist der Wendel-Querschnitt der 60 W-Lampe kleiner als der der 100 W-Lampe.

Seite 243

A 1: a) Bohrmaschine: $I = 230 \ \text{V}/106 \ \Omega = 2,17 \ \text{A}$;
Fernseher: $I = 0,65 \ \text{A}$;
Lampe: $I = 0,43 \ \text{A}$;
Staubsauger: $I = 3,48 \ \text{A}$;
Herd: $I = 10,95 \ \text{A}$;
Bügeleisen: $I = 4,34 \ \text{A}$.
b) Bohrmaschine: $P = U \cdot I \approx 230 \ \text{V} \cdot 2,2 \ \text{A} \approx 500 \ \text{W}$;
Fernseher: $P \approx 150 \ \text{W}$;
Lampe: $P \approx 100 \ \text{W}$;
Staubsauger: $P \approx 800 \ \text{W}$;
Herd: $P \approx 2500 \ \text{W}$;
Bügeleisen: $P \approx 1000 \ \text{W}$.
c) Gesamtstromstärke: $I_{ges} = 22,02 \ \text{A}$;
Ersatzwiderstand: $R = U/I_{ges} = 230 \ \text{V}/22,02 \ \text{A} = 10,45 \ \Omega$.

Oder aus $1/R = 1/R_1 + \ldots$ berechenbar.
Gesamtleistung $P = U \cdot I = 230 \ \text{V} \cdot 22,02 \ \text{A} = 5,06 \ \text{kW}$.
d) Nein, $I_{ges} > 20 \ \text{A}$.

A 2: a) Scheinwerferlampe: $I = P/U = 2,4 \ \text{W}/6 \ \text{V} = 0,4 \ \text{A}$;
Rücklichtlampe: $I = 0,1 \ \text{A}$.
b) Scheinwerferlampe: $R = U/I = 6 \ \text{V}/0,4 \ \text{A} = 15 \ \Omega$;
Rücklichtlampe: $R = 60 \ \Omega$;
Ersatzwiderstand: $1/R = 1/R_1 + 1/R_2 \Rightarrow R = 12 \ \Omega$.

A 3: $I_1 = U/R_1 = 0,1 \ \text{V}/50 \ \Omega = 2 \ \text{mA}$; $I_2 = 200 \ \text{mA}$;
$I_{ges} = 202 \ \text{mA}$.

A 4: a) $I_2 = I - I_1 = 200 \ \text{mA} - 2 \ \text{mA} = 198 \ \text{mA}$;
$R_2 = U/I_2 = R_1 \cdot I_1/I_2 = 0,1 \ \text{V}/0,198 \ \text{A} = 0,51 \ \Omega$.
b) Ersatzwiderstand: $1/R_{ges} = 1/R_1 + 1/R_2$
$\Rightarrow R_{ges} \approx 0,5 \ \Omega$
c) $R_{ges} = U/I_{ges} = U/(100 \cdot I) \approx \frac{1}{100} \cdot R_1$.

A 5: a) Der Stahlkern und der Aluminiummantel des Seils sind parallel geschaltet. Deshalb gilt für R:
$1/R = 1/R_1 + 1/R_2 = 1/(2 \ \Omega) + 1/(0,1 \ \Omega)$
$\Rightarrow R = 0,095 \ \Omega$.
b) $I_{Kern} = U/R_1 = 100 \ \text{V}/2 \ \Omega = 50 \ \text{A}$; $I_{Mantel} = 1000 \ \text{A}$; $I_{ges} = 1050 \ \text{A}$.

A 6: Spannungsabfall auf Beinabstand (2 cm):
$U = 100 \ \text{V} \cdot 0,02 \ \text{m}/1000 \ \text{m} = 2 \ \text{mV}$; 2 mV sind eine ungefährliche Spannung.

Seite 245

A 1: a) 10er-Kette: $U = 23 \ \text{V}$;
16er-Kette: $U = 14,4 \ \text{V}$.
b) 10er-Kette: $I = P/U = 3 \ \text{W}/23 \ \text{V} = 0,13 \ \text{A}$;
16er-Kette: $I = 0,21 \ \text{A}$.
c) 10er-Kette: $R = 23 \ \text{V}/0,13 \ \text{A} = 177 \ \Omega$;
16er-Kette: $R = 69 \ \Omega$.
d) Ersatzwiderstand: $R = R_1 + \ldots$:
10er-Kette: $R = 1770 \ \Omega$;
16er-Kette: $R = 1104 \ \Omega$.
e) Gesamtleistung: $P = U \cdot I$:
10er Kette: $P = 230 \ \text{V} \cdot 0,13 \ \text{A} = 30 \ \text{W}$;
16er Kette: $P = 48 \ \text{W}$.

A 2: a) $U = R_1 \cdot I = 50 \ \Omega \cdot 0,002 \ \text{mA} = 0,1 \ \text{V}$.
b) Bei $U = 100 \ \text{V}$ soll $I = 2 \ \text{mA}$ sein, also muss sein
$R_{ges} = 100 \ \text{V}/0,002 \ \text{A} = 50000 \ \Omega$.
$R_{ges} = R_1 + R_v$. Daraus folgt:
$R_v = 50000 \ \Omega - 50 \ \Omega = 49950 \ \Omega$.
Spannungsmesser mit so großem Widerstand kann man unmittelbar an Quellen legen, ohne einen Kurzschluss befürchten zu müssen.

LADUNG – STROM – SPANNUNG

Seite 247

A 1: $P = U \cdot I = U^2/R$. Da U konstant ist (230 V), gilt $P_1/P_2 = R_2/R_1$, also $R_{100\,W}/R_{60\,W} = 60\,W/100\,W = 3/5$.

A 2: Heizofen: $I = P/U = 1000\,W/230\,V = 4,35\,A$; $R_H = U/I = 230\,V/4,35\,A \approx 53\,\Omega$; Bügeleisen: $I = U/R_B = 230\,V/53\,\Omega = 4,34\,A$; $P = U \cdot I = 230\,V \cdot 4,34\,A \approx 1\,kW$.
a) Ersatzwiderstand: $1/R = 1/R_H + 1/R_B \Rightarrow R = 26,5\,\Omega$; Gesamtleistung: $P = 2\,kW$.
b) $I_{ges} = I_H + I_B + I_L$; daraus ergibt sich: $I_L = 10\,A - 4,35\,A - 4,34\,A = 1,31\,A$.
Man darf maximal drei 100 W-Lampen dazu schalten.
c) Aus $P = U^2/R$ folgt: $P_2/P_1 = U_2^2/U_1^2 = (0,9\,U_1)^2/U_1^2 = 0,81$.
Bei 10% Spannungsabfall ergeben sich 19% Leistungsabfall. Der Gerätewiderstand hat dabei keinen Einfluss.

A 3: Wegen $I = U/R$ folgt aus $P = U \cdot I$: $P = U^2/R = I^2 \cdot R$.
Bei $P = U^2/R$ ist neben R auch U wichtig. Also gilt $P \sim 1/R$ nur, wenn U konstant ist, also bei *Parallelschaltung*.
Bei $P = I^2 \cdot R$ ist neben R auch I wichtig. Also gilt $P \sim R$ nur, wenn I konstant ist – etwa bei *Reihenschaltung*.

Seite 248

A 1: Die Spannung U_{SB} fällt von 1,5 V linear auf 0 V. $\frac{1}{4}$ der angelegten Spannung misst er bei $\frac{3}{4}$ der Strecke AB, $\frac{3}{4}$ U bei $\frac{1}{4}$ von AB.

A 2: $R_v = (230\,V - 25\,V)/10\,A = 20,5\,\Omega$.

A 3: $R_v = (9\,V - 3\,V)/0,0001\,A = 60\,k\Omega$.

A 4: $R_{ges} = 100\,\Omega$; $I = 50\,V/100\,\Omega = 0,5\,A$; $U_1 = 20\,\Omega \cdot 0,5\,A = 10\,V$; $U_2 = 15\,V$; $U_3 = 25\,V$.

A 5: Die ersten 3 Lämpchen haben je den Widerstand $R = 4\,V/0,2\,A = 20\,\Omega$.
Am 4. Lämpchen liegt die Teilspannung $17\,V - 3 \cdot 4\,V = 5\,V$. Es hat also den Widerstand $R = 5\,V/0,2\,A = 25\,\Omega$.
Kontrolle: Ersatzwiderstand $R = 85\,\Omega$; Stromstärke $I = 17\,V/85\,\Omega = 0,2\,A$.

A 6: Der Strombedarf des Motors ist viel größer als der des Radios. Also sinkt die Klemmenspannung nach $U_{Kl} = U_0 - I \cdot R_i$ stärker ab (R_i steigt beim Entladen der Batterie).

A 7: $U_{Kl} = 12\,V - 100\,A \cdot 0,05\,\Omega = 7\,V$.

Seite 255

A 1: Kosten für die Energiesparlampe:
$6\,€ + 0,10\,€/kWh \cdot 15\,W \cdot 10000\,h =$
$6\,€ + 0,10\,€/kWh \cdot 150\,kWh = 21\,€$.
Kosten für die Glühlampe:
$1\,€ + 0,10\,€/kWh \cdot 75\,W \cdot 1000\,h =$
$1\,€ + 0,10\,€/kWh \cdot 75\,kWh = 8,5\,€$.
Man benötigt aber 10 Glühlampen, also betragen die Gesamtkosten für die Glühlampen 85 €, also etwa 4-mal so viel wie für die Energiesparlampe.

Seite 257

A 1: Die Erdung der Geräte muss gewährleistet sein.

A 2: $I = P/U = 2000\,W/230\,V = 8,7\,A$;
$R = U/I = 230\,V/8,7\,A = 26,5\,\Omega$;
$P_{230\,V} = U^2/R$; $P_{207\,V} = (0,9\,U)^2/R = 0,81\,P_{230\,V}$;
Die Leistung sinkt um 19 %.

A 3: Energiebedarf pro Tag: $W = 2\,kW \cdot 4\,h = 8\,kWh$;
Energiebedarf pro Woche: $W = 8\,kWh \cdot 5 = 40\,kWh$;
Kosten: $0,12\,€/kWh \cdot 40\,h = 4,8\,€$.

A 4: Energiebedarf:
$W_{75\,W} = 0,075\,kW \cdot 4\,h \cdot 365 = 109,5\,kWh$;
$W_{15\,W} = 0,015\,kW \cdot 4\,h \cdot 365 = 21,9\,kWh$;
$W_{75\,W} - W_{15\,W} = 87,6\,kWh$;
Kostenunterschied:
$0,12\,€/kWh \cdot 87,6\,kWh = 10,5\,€$.

A 5: Kosten für
Kochwäsche: $2,5\,kWh \cdot 0,12\,€/kWh = 0,3\,€$;
Buntwäsche: $0,18\,€$;
Sparwaschgang: $0,06\,€$.

A 6: $I_{ein} = 230\,V/37\,\Omega = 6,2\,A$;
$I_{Nenn} = 230\,V/490\,\Omega = 0,47\,A$;
R steigt mit T.

A 7: ① stark: $I = 230\,V/400\,\Omega = 0,57\,A$;
$P = U \cdot I = 230\,V \cdot 0,57\,V = 131\,W$;
② mittel: $I = 0,29\,A$; $P = 67\,W$;
③ schwach: $I = 0,14\,A$; $P = 32\,W$;
Die Leistungen verhalten sich etwa wie 4 : 2 : 1.

A 8: a) Parallelschaltung:
Wegen $R \sim 1/A$ sinkt R auf ¼ R_1;
Die Gesamtleistung ist die Summe der 4 Einzelleistungen: $P = 4 \cdot P_1$;
Reihenschaltung:
Wegen $R \sim l$ gilt: $R = 4 \cdot R_1$;
$P = U \cdot (I/4) = ¼\,P_1$;

Parallelschaltung: $1/R = 4/R_1 \Rightarrow R = \frac{1}{4} R_1$;
Reihenschaltung: $R = R_1 + R_1 + R_1 + R_1 = 4 \cdot R_1$.

A 9: Das Ersetzen erscheint problemlos, da die 10er-Lampe mit ihrer Nennspannung 23 V über dem Normwert 14,4 V der 16er-Kette liegt.
Aber: Der Widerstand der 16er-Kette wird von $16 \cdot 69\ \Omega = 1104\ \Omega$ auf $15 \cdot 69\ \Omega + 178\ \Omega = 1213\ \Omega$ geändert. Die Stromstärke sinkt unerheblich von 0,21 A auf 0,19 A. Die Teilspannung an der falschen Lampe (0,13 A; 178 Ω) steigt aber von ihrem Nennwert 23 V auf $U = 0{,}19\ \text{A} \cdot 178\ \Omega = 34\ \text{V}$, die Stromstärke auf 0,19 A. Das hält sie nicht lange aus.

A 10: $I = 230\ \text{V}/1200\ \Omega = 0{,}19\ \text{A}$;
Besonders gefährlich wird es, wenn der Strompfad durch den Oberkörper geht (Herz).

A 11: a) Schnellkochstufe: Parallelschaltung der 3 Widerstände. Ersatzwiderstand $1/R = 2/138\ \Omega + 1/60\ \Omega$, also $R = 32{,}1\ \Omega$;
$I = 230\ \text{V}/32{,}1\ \Omega = 7{,}2\ \text{A}$;
$P = 230\ \text{V} \cdot 7{,}2\ \text{A} = 1648\ \text{W}$.
b) Warmhaltestufe: Die 3 Widerstände in Reihe geschaltet: $R = 336\ \Omega$; $I = 0{,}69\ \text{A}$; $P = 157\ \text{W}$.

A 12: Aus $P = U^2/R$ folgt $R = U^2/P$, also gilt:
$R_S = 144\ \text{V}^2/55\ \text{W} = 2{,}6\ \Omega$, $R_R = 24\ \Omega$;
Ersatzwiderstand: $1/R = 2/2{,}6\ \Omega + 2/24\ \Omega$, also $R = 1{,}2\ \Omega$;
$I = U/R = 12\ \text{V}/1{,}2\ \Omega = 10\ \text{A}$.

A 13: Bei *Parallelschaltung* ist die 100 W-Lampe heller (an beiden Lampen liegt die gleiche Spannung, der Widerstand der 100 W-Lampe ist kleiner, also I größer).
$I_{15\,\text{W}} = 0{,}065\ \text{A}$; $I_{100\,\text{W}} = 0{,}435\ \text{A}$.
Bei *Reihenschaltung* ist die Stromstärke in beiden Lampen gleich. Wegen des kleineren Widerstands der 100 W-Lampe fällt an ihr eine kleinere Teilspannung ab; nach $P = U \cdot I$ ist ihre Leistung kleiner.
$U_{15\,\text{W}} = 200\ \text{V}$; $U_{100\,\text{W}} = 30\ \text{V}$.

A 14 a) Widerstand der Lampe: $R_L = 6\ \text{V}/5\ \text{A} = 1{,}2\ \Omega$;
Widerstand des Kabels:
$R_K = 0{,}017\ \Omega\text{mm}^2/\text{m} \cdot 20\ \text{m}/1\ \text{mm}^2 = 0{,}34\ \Omega$;
Gesamtwiderstand: $R = 1{,}2\ \Omega + 0{,}34\ \Omega = 1{,}54\ \Omega$;
Stromstärke: $I = 6\ \text{V}/1{,}54\ \Omega = 3{,}9\ \text{A}$;
Spannungsabfall am Kabel: $U_K = 0{,}34\ \Omega \cdot 3{,}9\ \text{A} = 1{,}3\ \text{V}$;
Lampenleistung: $P = (6\ \text{V} - 1{,}3\ \text{V}) \cdot 3{,}9\ \text{A} = 18{,}3\ \text{W}$;
dies sind 61% der Nennleistung (30 W).
b) Widerstand der Lampe: $R_L = 12\ \text{V}/2{,}5\ \text{A} = 4{,}8\ \Omega$;
Gesamtwiderstand: $R = 4{,}8\ \Omega + 0{,}34\ \Omega = 5{,}14\ \Omega$;
Stromstärke: $I = 12\ \text{V}/5{,}14\ \Omega = 2{,}3\ \text{A}$;
Spannungsabfall am Kabel: $U_K = 0{,}34\ \Omega \cdot 2{,}3\ \text{A} = 0{,}78\ \text{V}$;

Lampenleistung: $P = (12\ \text{V} - 0{,}78\ \text{V}) \cdot 2{,}3\ \text{A} = 25{,}8\ \text{W}$;
dies sind 86% der Nennleistung (30 W).

Bei Verdoppelung von U und Halbierung von I (bei gleicher Leistung) folgt aus $P_K = I^2 \cdot R_K$, dass dann die Verlustleistung im Kabel auf den 4. Teil sinkt.

A 15: a) Teilspannung am Vorwiderstand 230 V − 70 V = 160 V; Für den Vorwiderstand muss dann gelten:
$R_v = 160\ \text{V}/0{,}001\ \text{A} = 160\ \text{k}\Omega$.
Der Strom nimmt den Weg durch den Oberkörper.
Bei schlechter Isolierung kann es zu großen Stromstärken kommen.
b) Die Glimmlampe leuchtet am Außenleiter („Phase").

A 16: Bei geöffnetem Schalter liegt an ihm die ganze Batteriespannung. Bei geschlossenem Stromkreis fällt die gesamte Batteriespannung am Lämpchen ab, da der Schalter nun keinen Widerstand mehr hat. $U = 0\ \text{V}$ zeigt, dass die Lampe in Ordnung ist.
Siehe Kapitel „Der unverzweigte Stromkreis".

A 17: a) Spannungsmessbereich:
$U = 100\ \Omega \cdot 0{,}005\ \text{A} = 0{,}5\ \text{V}$.
Erweiterung auf 10 V: Da sich I nicht ändern darf, muss der Ersatzwiderstand $R = 100\ \text{V}/0{,}005\ \text{A} = 20\ \text{k}\Omega$ sein.
Also muss $R_v = 20\ \text{k}\Omega - 0{,}1\ \text{k}\Omega = 19{,}9\ \text{k}\Omega$ sein.
b) $U_v = 19{,}9\ \text{k}\Omega \cdot 5\ \text{mA} = 99{,}5\ \text{V}$;
$U_i = 100\ \Omega \cdot 5\ \text{mA} = 0{,}5\ \text{V}$.

A 18: Beim Messbereich 100 mA müssen 95 mA durch den Parallelwiderstand R_p am Messwerk vorbei fließen.
$R_p = 0{,}5\ \text{V}/0{,}095\ \text{A} = 5{,}3\ \Omega$;
$1/R = 1/R_i + 1/R_p = 1/100\ \Omega + 1/5{,}3\ \Omega \Rightarrow R = 5\ \Omega$.
Wegen des kleinen Widerstands sind zu große Stromstärken bei direktem Anschluss an die Quelle möglich.

ELEKTROMAGNETISMUS

Seite 262

A 1: Dreht man die Stromrichtung um, so kehrt sich die Kraft um, d. h. der Kraftpfeil weist nach links.. Gleiches geschieht, wenn man die Magnetfeldrichtung umkehrt.

A 2: Linke-Hand-Regel: Auf die bewegten Elektronen im beweglichen Kohlestab wirkt die Lorentzkraft nach rechts hinten. Die Elektronen reißen den Stab mit – er rollt nach rechts hinten.

Seite 267

A 1: Auf die mit dem Draht bewegten Elektronen wirkt die Lorentzkraft. Sie bewegt die Elektronen im Draht auf den Punkt B zu – dort entsteht ein Elektronenüberschuss, während gleichzeitig in Punkt A ein Elektronenmangel entsteht. Zwischen A und B herrscht also eine Spannung. Punkt A ist der Pluspol, B der Minuspol der Stromquelle.

A 2: Es entsteht eine gepulste Gleichspannung.

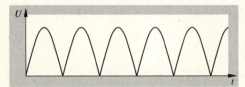

Seite 270

A 1: Solange der Magnet in die Spule hinein fällt, wächst das Magnetfeld innerhalb der Spule an. Da der Magnet immer schneller wird (und wegen der besonderen Form des Magnetfeldes), steigt die induzierte Spannung, bis der Magnet etwa die Mitte der Spule erreicht hat. Für einen Augenblick ändert sich das Magnetfeld innerhalb der Spule nicht, die Spannung sinkt auf Null:
Der Magnet fällt aus der Spule heraus, das Magnetfeld innerhalb der Spule nimmt wieder ab. Es wird eine Spannung mit ungekehrtem Vorzeichen induziert. Wegen der beschleunigten Fallbewegung läuft die gesamte Änderung des Magnetfeldes jetzt in kürzerer Zeit ab; deshalb ist der Betrag des Scheitelwertes der Induktionsspannung jetzt größer als vorher.

A 2: Im Drehspulinstrument befindet sich eine drehbare Spule innerhalb eines Magnetfeldes. Durch das Kippen des Instruments dreht sich die Spule innerhalb des Magnetfeldes. Die beiden Enden der Spule werden durch Induktion zu den Polen einer Stromquelle. Beim Zurückdrehen wird eine entgegengesetzt gepolte Spannung induziert. Das zweite Drehspulinstrument zeigt diese Wechselspannung an.

A 3: Man erhält jeweils eine größere Spannung
• durch eine größere Geschwindigkeit, mit der der Magnet bewegt wird,
• indem man einen stärkeren Magneten benutzt,
• in dem man eine Spule mit mehr Windungen benutzt.

A 4: a) Der Spannungsmesser zeigt einen Spannungsimpuls an.
b) Das Magnetfeld in Spule I bricht zusammen. Diese Magnetfeldänderung induziert in Spule II kurzzeitig eine große Spannung.
c) Es entsteht wieder ein Spannungsimpuls, jedoch mit entgegengesetztem Vorzeichen, weil sich diesmal das Magnetfeld in Spule I schnell wieder aufbaut.

A 5: In keinem der Fälle wird eine größere Spannung induziert. (Die Inklination des Magnetfeldes am Äquator ist zu vernachlässigen.)
a) Nach der Linke-Hand-Regel werden die Elektronen nach unten gezogen, sodass zwischen den Flügelspitzen keine Spannung entsteht.
b) Das Flugzeug bewegt sich parallel zu den Feldlinien. Es wirkt also keine Lorentzkraft auf die bewegten Elektronen.

Seite 275

A 1: $\dfrac{n_1}{n_2} = \dfrac{U_1}{U_2} = \dfrac{230\,\text{V}}{46\,\text{V}} = 5,$
also $n_2 = n_1/5 = 1000/5 = 200$.

Man kann aber auch als zweite Spule die mit 1000 Windungen verwenden. Man erhält dann für die erste Spule $n_1 = 5000$.

Seite 276

A 1: Die Leitungsverluste sind dann ziemlich hoch, wenn die Stromstärke einen großen Wert hat. Transformiert man jedoch die Spannung hoch, so verringert sich die Stromstärke – die Leitungsverluste werden geringer. Beim Endverbraucher sind hohe Spannungen aber gefährlich. Also muss man die Spannung dort wieder herunter transformieren. Trafos können aber nur Wechselströme umwandeln. Außerdem wird der elektrische Strom großtechnisch in Generatoren als Wechselstrom erzeugt.

A 2: Die Leistung $P = 530$ kW soll mit höchstens 2% Verlust übertragen werden, also $P_L = 10,6$ kW.

$I = P/U = 530000\,\text{W}/230\,\text{V} \approx 2300$ A. Das ergibt
$R_L = P_L/I^2 = 0{,}002\ \Omega$.

Die gleiche Rechnung liefert bei $U = 10$ kV eine Stromstärke $I = 53$ A und damit $R_L = P_L/I^2 = 3{,}8\ \Omega$.

Seite 278

A 1: a) Er läuft rückwärts.
b) Innere und äußere Spulen sind in Reihe geschaltet. Man muss entweder bei den inneren oder bei den äußeren Spulen die Anschlüsse vertauschen.

A 2: a)
$W_{mech} = m \cdot g \cdot h = 0,25$ kg $\cdot$ 9,81 N/kg $\cdot$ 1,2 m = 2,94 J.
$W_{el} = U \cdot I \cdot t = 9$ V $\cdot$ 0,3 A $\cdot$ 3 s = 8,1 J.
Wirkungsgrad: $\eta = W_{mech}/W_{el} = 2,94$ J/8,1 J $\approx 36\%$.
b) $P_{mech} = W_{mech}/t = 2,94$ J/3 s = 0,98 W.
$\eta = P_{mech}/P_{el}$, also $P_{el} = P_{mech}/\eta = 0,98$ W/0,75 = 1,31 W.
Also $I = P_{el}/U = 1,31$ W/230 V = 5,7 mA.

A 3: a) Auf die bewegten Elektronen in geradem Leiterstück wirken Lorentzkräfte, die den Leiter mitreißen. Nach der Linke-Hand-Regel wird das Leiterstück nach links (zum Magneten hin) bewegt.
b) Entweder dreht man die Stromrichtung um (durch Umpolen der Stromquelle) oder man dreht das Magnetfeld um (Magneten umdrehen).

A 4: a) Mit dem Leiterstück werden die Elektronen quer zum Magnetfeld bewegt. An den Enden des Leiterstücks wird also eine Spannung induziert, die dann ein Spannungsmesser anzeigt. Rechts ist der Pluspol, links der Minuspol.
b) Das Messgerät zeigt eine Wechselspannung an. Jeweils in den Umkehrpunkten der Schaukelbewegung polt sich die Spannung um.
c) Die induzierte Spannung bewirkt einen Induktionsstrom. Der Strom durch den Draht erhöht dessen Temperatur, wodurch dem System Energie entzogen wird.

A 5: Schließt man den zweiten Trafo mit der Spule mit 500 Windungen an den Ausgang des Spielzeugtrafos an, so entsteht auf der Sekundärseite eine um den Faktor 11500/500 = 23 höhere Spannung. Es entsteht also die gefährliche Spannung von 23 $\cdot$ 24 V = 552 V!

A 6: a) 230 V/15 V $\approx$ 15, d. h. das Windungsverhältnis soll 15 : 1 betragen. Man benötigt also die Spulen mit 50 bzw. 750 Windungen.
b) $P_2 = U_2 \cdot I_2 = 15$ V $\cdot$ 1,25 A = 18,8 W $= P_1$.
Also $I_1 = P_1/U_1 = 18,8$ W/230 V = 0,08 A.

HALBLEITER

Seite 281

A 1: In Metallen (im festen Zustand) sind die Atome ortsfest gebunden. Sie schwingen lediglich um ihre Ruhelage. Jedes Atom gibt eines oder mehrere Elektronen an seine Umgebung ab.

A 2: Licht führt Energie mit sich. Diese Energie kann ausreichen, um Elektronen aus dem Metall zu befreien.

A 3: a) Durch Temperaturerhöhung werden in einem Halbleiter mehr Elektronen von ihren Atomen befreit. Es sind dann mehr Elektronen beweglich. Das bewirkt, dass der Widerstand des Halbleiters kleiner wird.
b) Helleres Licht befreit ebenfalls mehr Elektronen von ihren Atomen, führt also gleichfalls zur Verringerung des Widerstandes.

A 4: Wegen der Temperaturabhängigkeit des Widerstandes eines Heißleiters gehört zu jeder Temperatur ein bestimmter Widerstand, in einem Stromkreis ein bestimmter Strom. Ein Strommesser in einem solchen Stromkreis zeigt also auch die Temperatur an. Wenn man den Zusammenhang zwischen Widerstand und Temperatur bestimmt, hat man ein einfaches Thermometer.
Die Widerstandsabhängigkeit eines Fotowiderstandes von der Helligkeit des Lichts führt in einem Stromkreis, je nach Helligkeit des Lichts, zu unterschiedlichen Strömen. Wir haben damit im Prinzip einen Belichtungsmesser z. B. für eine Kamera.

A 5: In Bild 1, Seite 281 sind die Widerstände verschiedener Stoffe bei 20 °C, 1 m Länge und 1 mm^2 Querschnitt angegeben. Ändert man eine dieser Größen, so ändert sich auch jeweils der Widerstand.

Seite 283

A 1: Zu den bei einer bestimmten Temperatur in einem Halbleiter vorhandenen Leitungselektronen und Löchern kommen durch *Dotieren mit fünfwertigen* Atomen, z. B. mit Arsen, zusätzlich sehr viele Leitungselektronen hinzu. *Dotieren mit dreiwertigen* Atomen, z. B. mit Aluminium, liefert zusätzliche Löcher. In beiden Fällen wird der Widerstand des dotierten Halbleiters sehr viel kleiner.

A 2: Wie Leitungselektronen sind auch Löcher frei beweglich. Sie bewegen sich in Richtung Minuspol (①). Dort angekommen werden sie durch Elektronen aufgefüllt (②). Am Pluspol verlassen Elektronen den Halbleiter (③).

A 3: Im n-dotierten Halbleiter sind fast alle Löcher von Elektronen zugeschüttet.
Im p-dotierten Halbleiter fallen die wenigen Leitungs-

elektronen in reichlich vorhandene Löcher.

A 4: Bindungselektronen sind an zwei ihrer Nachbaratome gebunden. Durch Energiezufuhr können Bindungselektronen aus ihrer Bindung gelöst werden. Sie werden dann zu frei beweglichen Leitungselektronen.

A 5: a) Bor ist wie Aluminium dreiwertig. Mit Bor dotiertes Silicium ist wegen der nun zahlreich vorhandenen Löcher p-dotiert.
b) Phosphor ist fünfwertig. Ein Elektron ist übrig. Es wird zu einem Leitungselektron. Mit Phosphor dotiertes Silicium ist also n-dotiert.

Seite 289

A 1: Ein npn-Transistor besteht aus einem Halbleiterkristall mit drei unterschiedlich dotierten Schichten (s Bild 1b, Seite 288). Die untere Schicht, der **Emitter** E, ist n-dotiert. Die mittlere Schicht, die **Basis** B, ist p-dotiert. Die obere Schicht heißt **Kollektor** C. Sie ist, wie der Emitter, wieder n-dotiert.

A 2: Die Basis eines Transistors muss extrem dünn sein, weil nur dann die Elektronen des Emitters durch ihre Eigenbewegung in den Kollektor übertreten können, bevor sie von dem Basisanschluss abgesaugt werden.

A 3: Bei $U_{BE} = 0,6$ V ist der Kollektorstrom praktisch null; bei $U_{BE} = 0,7$ V ca. beträgt die Kollektorstromstärke I_C bereits 100 mA. I_C nimmt also sehr schnell um 100 mA zu.

A 4: Von der n-dotierte Source S fließen Elektronen zur ebenfalls n-dotierten Drain (s. Bild 4, Seite 289). Entsprechendes geschieht beim npn-Transistor. Dort bewegen sich Elektronen vom Emitter zum Kollektor. Die Steuerung des Elektronenflusses geschieht beim MOSFET durch das Gate, beim npn-Transistor durch die Basis.
Der Mechanismus der Steuerung ist jedoch ein völlig anderer. Beim MOSFET sorgt die positive Spannung zwischen Gate und Source für eine Ladungsumverteilung. Zwischen Source und Drain bildet sich ein Kanal heraus, in dem sich Leitungselektronen ansammeln, obwohl der Kristall insgesamt p-dotiert ist. Beim npn-Transistor steuert die „Basis-Emitter-Diode" den Elektronenfluss.

Seite 296

A 1: Beim *glühelektrischen Effekt* werden Elektronen durch Zufuhr thermischer Energie aus dem Glühdraht befreit.
Beim *äußeren Fotoeffekt* geschieht das Gleiche durch Zufuhr von Lichtenergie.
Beim *inneren Fotoeffekt* werden durch die Energie des Lichts im Halbleiter Bindungselektronen zu Leitungselekt-

ronen. Die Leitfähigkeit des Halbleitermaterials nimmt zu.

A 2: a) Im Metall schwingen die ortsfesten Atome um ihre Ruhelagen. Jedes Atom hat eines oder mehrere Elektronen an die Umgebung abgegeben. Diese bewegen sich regellos zwischen den Atomen.
b) Auch im Halbleiter schwingen die ortsfesten Atome um ihre Ruhelage. Bei tiefen Temperaturen sind fast alle Elektronen an ihre Nachbaratome gebunden. Erst durch Energiezufuhr werden Elektronen aus ihren Bindungen gelöst und können sich im Halbleiterkristall frei bewegen.

A 3: Bei einem *n-dotierten Halbleiter* werden in dem Kristall z. B. vierwertige Siliciumatome durch fünfwertige Atome wie z. B. Arsenatome ersetzt. Das überzählige Elektron wird zu einem im Kristall frei beweglichen Leitungselektron.
Beim *p-dotierten Halbleiter* ersetzt man vierwertige Atome durch dreiwertige, z. B. Siliciumatome durch Aluminiumatome. Die Fehlstellen im Kristall erscheinen gegenüber ihrer Umgebung als positive Ladungen.

A 4: In einer Halbleiterdiode grenzen n- und p-dotierte Teile im Kristall unmittelbar aneinander. Liegt der Pluspol einer Spannungsquelle am n-dotierten Teil der Diode, so können keine Leitungselektronen vom n- in den p-dotierten Teil fließen. Aus dem p-dotierten Teil können keine Löcher in den n-dotierten Teil gelangen. Es ist kein Ladungsfluss möglich. Die Diode sperrt.
Liegt der Minuspol einer Spannungsquelle am n-dotierten Teil, so können Leitungselektronen ungehindert in den p-dotierten Teil und von dort zum positiven Pol der Spannungsquelle gelangen. Ebenso können Löcher in den n-dotierten Teil übertreten und zum negativen Pol der Spannungsquelle gelangen. Ladungsfluss ist möglich. Die Diode ist in Durchlassrichtung gepolt.

A 5: Ist der obere Pol der Spannungsquelle positiv, und der untere negativ, so sind die rechte obere und die linke untere Diode in Durchlassrichtung gepolt. Der obere Pol von U_2 ist positiv. Im Oszillogramm erscheint eine Halbperiode oberhalb der *t*-Achse. Ist die Wechselspannungsquelle während der zweiten Halbperiode gerade anders herum gepolt, so sind die linke obere und die rechte untere Diode in Durchlassrichtung gepolt. Auch während dieser Halbperiode der Wechselspannung ist der obere Pol von U_2 positiv. Im Oszillogramm bekommen wir wiederum eine Halbperiode oberhalb der *t*-Achse.
Im Gegensatz zur Gleichrichterschaltung mit einer Diode findet mit der Graetzschaltung Ladungsfluss während beider Halbperioden statt.

A 6: Die Basis eines Transistors ist sehr dünn. Deshalb gelangen bei positiver Spannung U_{BE} nur sehr wenige Leitungselektronen zu dem weit außerhalb liegenden Basisanschluss. Die meisten überwinden durch ihre Eigenbewegung die Basis und gelangen in den Kollektor und von dort zum positiven Pol der Kollektor-Emitter-Spannungsquelle.

A 7: Wegen des Transistoreffekts fließen bei positiver Basis-Emitter-Spannung und positiver Kollektor-Emitter-Spannung Ladungen von Emitter zum Kollektor. Wählen wir eine größere Spannung U_{BE} so gelangen sehr viel mehr Leitungselektronen vom Emitter in die Basis und damit auch in den Kollektor. Wir bekommen einen großen Kollektorstrom.

A 8: Skizze einer MOSFET-Schaltung wie Bild 4, S 289. Die Source-Drain-Strecke wird bei positiver Gate-Source-Spannung leitend, weil im p-dotierten unteren Teil des MOSFET Leitungselektronen nach oben wandern und sich so ein mit Leitungselektronen angereicherter Kanal ergibt. Bei größerer Gate-Source-Spannung wird dieser Effekt größer und damit auch der Source-Drain-Strom.
Durch die hoch isolierende Schicht zwischen Gate und Source ist der Gate-Source-Strom extrem klein. Die für die Steuerung des Source-Drain-Stroms erforderliche Leistung ist deshalb sehr gering. Praktisch erfolgt die Steuerung leistungslos.

A 9: Wählen wir eine große Basisspannung, z. B. 0,7 V, so ist der Transistor so gut leitend, dass sein Widerstand praktisch 0 Ω beträgt. Betrachten wir den Transistor als Schalter, so befindet er sich im Zustand „geöffnet". Wählen wir die Basisspannung 0 V, so sperrt der Transistor, sein Widerstand ist sehr groß, der Schalter ist „geschlossen".

A 10: Unter Kurzschlussstrom einer Solarzelle versteht man den unter vorgegebenen äußeren Bedingungen (z. B. günstigster Sonneneinstrahlung) maximal möglichen Strom. Der Widerstand des Verbrauchers beträgt für diesen Fall 0 Ω.
Die Solarzelle liefert im Leerlauf, ohne Verbraucher, die maximale Spannung. Man bezeichnet diese Spannung als Leerlaufspannung.

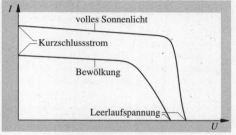

HALBLEITER

A 11: Schaltzeichnung wie Bild 4, S. 291.

Der Flip-Flop befinde sich im Zustand Transistor T_1 leitet, die zugehörige Glühlampe L_1 leuchtet. Der Transistor wirkt wie ein geschlossener Schalter. Dann ist seine Kollektorspannung klein. Da die Basis des zweiten Transistors T_2 über den Widerstand R_2 mit dem Kollektor des ersten Transistors verbunden ist, ist damit auch die Basisspannung des zweiten Transistors klein. Der zweite Transistor wirkt wie ein geöffneter Schalter, die zugehörige Glühlampe L_2 ist dunkel. Wegen der Rückkopplungsleitung bleibt dieser Zustand erhalten.

Betätigen wir den Taster S_2, so wird die Basisspannung des ersten Transistors 0 V. Dann wirkt T_1 wie ein geöffneter Schalter. Die zugehörige Glühlampe L_1 erlischt. Die Kollektorspannung von T_1 ist dann groß und damit auch die Basisspannung des zweiten Transistors T_2. Dieser wirkt nun wie ein geschlossener Schalter; die zugehörige Glühlampe L_2 leuchtet. Wegen der Rückkopplungsleitung bleibt auch dieser Zustand erhalten.

A 12: Wegen der 100fachen Stromverstärkung des *linken* Transistors ist seine Emitterstromstärke 100-mal so groß wie seine Basisstromstärke. Der Emitterstrom ist zugleich Basisstrom des rechten Transistors.

Die 100fache Stromverstärkung des *rechten* Transistors bewirkt, dass seine Emitterstromstärke 100-mal so groß ist wie seine Basisstromstärke.

Also ist diese Emitterstromstärke ($100 \cdot 100 = 10000$)-mal so groß wie die Basisstromstärke des linken Transistors. Dasselbe gilt praktisch auch für den Kollektorstrom des rechten Transistors. Also beträgt die Stromverstärkung der Schaltung insgesamt 10000.

Seite 301

A 1:

	$^{12}_{6}C$	$^{137}_{55}Cs$	$^{208}_{82}Pb$	K-40	Co-60	Pb-206	Th-232
A	12	137	208	40	60	206	232
Z	6	55	82	19	27	82	90
N	6	82	126	21	33	124	142
Zahl e^-	6	55	82	19	27	82	90

A 2: a) $^{238}_{92}U$; $^{235}_{92}U$; $^{234}_{92}U$; $^{233}_{92}U$.

b) Isotope haben im Atomkern gleich viel Protonen Z, aber verschieden viele Neutronen N. Isotope haben deshalb unterschiedliche physikalische Eigenschaften (z. B. Masse, Kerndurchmesser, Nukleonenzahl A). In der Hülle des Atoms haben Isotope gleich viele Elektronen Z. Sie haben deshalb gleiche chemische Eigenschaften.

A 3: $^{204}_{82}Pb$; $^{206}_{82}Pb$; $^{207}_{82}Pb$; $^{208}_{82}Pb$.

Die entsprechenden Kästchen in der Nuklidkarte sind bis auf Pb-204 ganz schwarz, d. h. dass diese Isotope des Bleis bis auf Pb-204 stabil sind. Aus den angeschriebenen Zahlen lässt sich ablesen:
Natürlich vorkommendes Blei besteht zu 52,4% aus Pb-208, zu 24,1% aus Pb-206, zu 22,1% aus Pb-207 und zu 1,4% aus Pb-204. Das Kästchen für Pb-204 ist zur Hälfte gelb markiert. Pb-204 ist also ein α- Strahler mit der allerdings sehr großen Halbwertszeit von $1,4 \cdot 10^{17}$ Jahren (das Thema Halbwertszeit wird im Lehrbuch auf den Seiten326 und 327 besprochen).

A 4: u ist die atomare Masseneinheit. Es ist 1 u gleich 1/12 der Masse des $^{12}_{6}C$ -Atoms; 1 u = $1,66054 \cdot 10^{-27}$ kg.

Cl-35 hat eine Masse von 35 u (aus genauen Tabellen findet man 34,97 u) und Cl-37 eine Masse von 37 u (genauer 36,97 u). Ein Gemisch aus 75% Cl-35 und 25% Cl-37 hat somit die Masse von (75 · 35 u + 25 · 37 u)/100 = 35,5 u.

A 5: $^{235}_{92}U \xrightarrow{\alpha} {}^{231}_{90}Th$; $^{232}_{90}Th \xrightarrow{\alpha} {}^{228}_{88}Ra$;

$^{241}_{95}Am \xrightarrow{\alpha} {}^{237}_{93}Np$; $^{226}_{88}Ra \xrightarrow{\alpha} {}^{222}_{86}Rn$;

$^{210}_{84}Po \xrightarrow{\alpha} {}^{206}_{82}Pb$; $^{238}_{92}U \xrightarrow{\alpha} {}^{234}_{90}Th$.

Seite 303

A 1: Das Glimmerfenster ist dünner als handelsübliches Papier. Zur Information: Das Glimmerfenster hat eine Dicke von 2 bis 3 mg/cm^2 und Papier z. B. von 80 g/m^2 = 8 mg/cm^2.

A 2: 46 Impulse in der Minute.

A 3: Da eine Kugel- oder Würfeloberfläche vom doppelten (dreifachen) Radius bzw. doppelter (dreifacher) Kantenlänge 4fache (9fache) Oberfläche hat, durchsetzen das Zählrohrfenster (z. B. $A = 1$ cm^2) in doppeltem (dreifachen) Abstand vom Präparat nur $\frac{1}{4}$ $\left(\frac{1}{9}\right)$ der Teilchen je Sekunde. Die Intensität der Strahlung nimmt mit $1/r^2$ ab (r: Abstand zur Quelle).
Diese Tatsache spielt beim *Strahlenschutz* eine wichtige Rolle. *Abstand halten* ist ein wichtiges Gebot beim Umgang mit radioaktiven Stoffen.

Seite 307

A 1: Die β-Teilchen erfahren in Bild 3, Seite 306 eine Kraft nach rechts. Aufgrund der „Linke-Hand-Regel" müssen sie negativ geladen sein: Daumen in Richtung der Bewegung, Zeigefinger in Richtung des Magnetfeldes, Mittelfinger in Richtung der Kraft.

A 2: *Eigenschaften* der Strahlung:
• Die Strahlung transportiert Energie und ionisiert Atome und Moleküle. Sie stammt aus Atomkernen.
• *α-Strahlung* besteht aus energiereichen zweifach positiv geladenen Heliumkernen. α-Strahlung kann ein Blatt Papier nicht durchdringen.
• *β-Strahlung* besteht aus sehr schnellen, energiereichen Elektronen. β-Teilchen können 5 mm dickes Aluminium nicht durchdringen.
• *γ-Teilchen* sind von derselben Natur wie Licht, nur viel energiereicher. γ-Teilchen können dicke Bleischichten kaum durchdringen.
• *Reichweite* in Luft:
α-Strahlung < 10 cm;
β-Strahlung ~ 1 m;
γ-Strahlung > 100 m.
• Je dichter eine Materie ist, desto geringer ist die Reichweite der Strahlung in der Materie.
Nachweismöglichkeiten der Strahlung:
• Geiger-Müller-Zählrohr;
• Nebelkammer (nicht γ-Strahlung);
• Film.

A 3:

$^{40}_{19}K \xrightarrow{\beta} {}^{40}_{20}Ca$; $^{210}_{82}Pb \xrightarrow{\beta} {}^{210}_{83}Bi$;

$^{14}_{6}C \xrightarrow{\beta} {}^{14}_{7}N$; $^{99}_{43}Tc^* \xrightarrow{\gamma} {}^{99}_{43}Tc \xrightarrow{\beta} {}^{99}_{44}Ru$;

$^{60}_{27}Co \xrightarrow{\beta} {}^{60}_{28}Ni^* \xrightarrow{\gamma} {}^{60}_{28}Ni$.

A 4: Am-241 sendet α- und γ-Teilchen aus. Zerfall:

$^{241}_{95}Am \xrightarrow{\alpha} {}^{237}_{93}Np^* \xrightarrow{\gamma} {}^{237}_{93}Np$.

RADIOAKTIVITÄT UND KERNPHYSIK

A 5:

$$^{217}_{85}\text{At} \xrightarrow{\alpha} {}^{213}_{83}\text{Bi} \xrightarrow{\beta} {}^{213}_{84}\text{Po}^* \xrightarrow{\gamma} {}^{213}_{84}\text{Po}$$
$$\xrightarrow{\alpha} {}^{209}_{82}\text{Pb} \xrightarrow{\beta} {}^{209}_{83}\text{Bi}.$$

(Dies ist das Ende der Zerfallsreihe von Am-241, der Americium-Neptunium-Reihe.)

A 6:

$$^{235}_{92}\text{U} \xrightarrow{\alpha} {}^{231}_{90}\text{Th} \xrightarrow{\beta} {}^{231}_{91}\text{Pa} \xrightarrow{\alpha} {}^{227}_{89}\text{Ac}$$
$$\xrightarrow{\beta} {}^{227}_{90}\text{Th} \xrightarrow{\alpha} {}^{223}_{88}\text{Ra} \xrightarrow{\alpha} {}^{219}_{86}\text{Rn} \xrightarrow{\alpha} {}^{215}_{84}\text{Po}$$
$$\xrightarrow{\alpha} {}^{211}_{82}\text{Pb} \xrightarrow{\beta} {}^{211}_{83}\text{Bi} \xrightarrow{\alpha} {}^{207}_{81}\text{Tl} \xrightarrow{\beta} {}^{207}_{82}\text{Pb}.$$

Feine Verzweigungen in der Zerfallsreihe bei Ac-227, Po-215 und Bi-211 wurden weggelassen.

A 7: γ-Strahlung, die aus vielen γ-Teilchen besteht, verliert in 5 bis 10 cm dicken Bleischichten ihre meiste Energie; in Luft verliert sie dieselbe Energie erst auf einer Strecke von mehr als 100 m. Trotzdem kann die gesamte Energie, die ein γ-Teilchen transportiert, kleiner sein als die Energie, die ein α-Teilchen transportiert (dies ist meistens auch so). Je 1 mm Wegstrecke verliert γ-Strahlung in derselben Materie nämlich sehr viel weniger Energie als α-Strahlung.

Seite 309

A 1: a) Halbwertszeit von I-131: $T_{1/2} = 8$ d;
Nach $3 \cdot 8$ d sind $(250000 + 125000 + 62500 =) 437500$ Kerne zerfallen.

b) Nach 3 Halbwertszeiten, also nach 24 Tagen $(\frac{1}{2} + \frac{1}{4} + \frac{1}{8})$.

c) 48 Tage sind 6 Halbwertszeiten; also zerfallen nach 48 Tagen $\left(\frac{1}{2}\right)^6 = \frac{1}{64}$ so viel Kerne, also 1562 Kerne in 1 s.

A 2: Tc-99* mit einer Halbwertszeit von 6 Stunden wird in der Nuklearmedizin verwendet.

a) 93,75% sind $\frac{15}{16}$ der Ausgangssubstanz; $\frac{1}{16}$ bleibt übrig; also müssen 4 Halbwertszeiten, d. h. 24 Stunden vergangen sein.

b) Mehr als 99% einer radioaktiven Substanz sind nach 7 Halbwertszeiten, mehr als 99,9% nach 10 Halbwertszeiten zerfallen.

Seite 311

A 1: Rn-220 hat eine Halbwertszeit von 55,6 s, Rn-222 eine von 3,825 Tagen.
Die Folgeprodukte von Rn-222 sind: Po-218, Pb-214, Bi-214, Po-214, Pb-210, Bi-210, Po-210, Pb-206.

A 2: Die effektive Dosis berücksichtigt die spezifische Strahlungsempfindlichkeit der Organe durch einen Faktor und die spezifische Wirkung der unterschiedlichen Strahlung durch einen weiteren Faktor. Sie basiert auf der Energiedosis, der pro kg Körpermasse absorbierten Energie.
Die Einheit der effektiven Dosis ist 1 Sv = 1 J/kg.

Seite 315

A 1: Freie Neutronen sind für den menschlichen Körper deshalb so gefährlich, weil sie viele Kernreaktionen auslösen, bei denen die unterschiedlichsten geladenen Teilchen (z. B. Protonen) entstehen. Die ionisierende Wirkung dieser Teilchen stellt dann die eigentliche Strahlenexposition dar.

Seite 319

A 1: Bei einer kontrollierten Kettenreaktion darf von den 2 bis 3 bei einer Kernspaltung entstehenden Neutronen nur genau eines eine neue Spaltung herbeiführen.

A 2: Die Brennstäbe bestehen aus einem etwa fingerdicken Stahlrohr, in dem sich als Brennstoff natürliches Uran befindet, das bis zu 3% mit U-235 angereichert ist. In den Brennstäben findet der Spaltungsprozess statt. U-235-Kerne werden durch langsame Neutronen gespalten.
Mit den Regelstäben wird die Kettenreaktion kontrolliert. Diese Stäbe können langsame Neutronen einfangen und so dem Spaltungsprozess entziehen. Mehr oder weniger tief in den Reaktorkern eingefahrene Stäbe entziehen mehr oder weniger Neutronen.

A 3: Wasser befindet sich zwischen den Brennstäben und hat zwei Funktionen:
1. Es dient als **Moderator**, in dem es die bei der Kernspaltung frei werdenden schnellen Neutronen abbremst. Nur langsame Neutronen können die Spaltung von U-235-Kernen hervorrufen.
2. Das Wasser dient als **Kühlmittel**. Es wird durch die Kernspaltung sehr heiß und transportiert die Energie im Primärkreislauf zum Wärmetauscher.

A 4: Kohlekraftwerke und Kernkraftwerke sind beides Wärmekraftwerke. Im Kohlekraftwerk wird die hohe Temperatur des Wassers durch Verbrennen von Kohle erzeugt, im Kernkraftwerk durch die Kernspaltung. Bei beiden wird die Energie genutzt, um Wasser zu verdampfen. Im Kernkraftwerk wird die Energie des Wassers im Primärkreis im Wärmetauscher einem Sekundärkreis zugeführt.
In beiden Kraftwerkstypen wird die Energie des Wasserdampfs in Turbinen in mechanische Energie umgewandelt.

Die Turbinen treiben Generatoren an, die die mechanische in elektrische Energie umwandeln.

Hinter den Turbinen wird der Wasserdampf im Kondensator abgekühlt und beim Kohlekraftwerk wieder dem Kessel zugeführt. Beim Kernkraftwerk fließt das Wasser in den Wärmetauscher zurück. Zum Kühlkreislauf gehören bei beiden Kraftwerkstypen Kühltürme.

Seite 321

A 1: Für die Sicherheit eines Kernkraftwerks sorgen Sicherheitsbarrieren und weitere Sicherheitselemente. Sicherheitsbarrieren sind die Stahlrohre der Brennstäbe, die das spaltbare Material einschließen und der stählerne Reaktordruckbehälter, der den Reaktorkern umschließt. Der Reaktordruckbehälter befindet sich seinerseits in einem Stahlbetonmantel und dieser in einem weiteren dicken Stahlbetonmantel.

Zu den Sicherheitselementen gehören die Notkühlsysteme, die Regelstäbe, die im Notfall automatisch vollständig in den Reaktorkern hinein fallen, das Boreinspeisesystem zur schnellen Abschaltung des Reaktors und das mehrfache Vorhandensein sicherheitstechnischer Teile wie z. B. der Kühlmittelpumpen.

Seite 324

A 1: Von A bis B findet man β-Teilchen mit jeweils unterschiedlicher Geschwindigkeit und damit unterschiedlicher Energie; in B weist man γ-Teilchen nach und in C findet man α-Teilchen mit einer festen Geschwindigkeit, also einer ganz bestimmten Energie.

A 2: a) Komprimiert man die Luft im Kolben und schüttelt diesen, so ist der Raum im Kolben mit Wasserdampf gefüllt. Öffnet man den Hahn, so dehnt sich die Luft aus und kühlt sich dabei etwas ab. Sie ist nun mit Wasserdampf *übersättigt*. Trotzdem bildet sich kein Nebel. – Erst wenn durch das Hineinblasen von Rauch *Kondensationskeime* vorhanden sind, erfolgt an diesen die Kondensation des Wasserdampfes zu kleinen Tropfen. Man beobachtet Nebel.

b) Dieselbe Situation liegt bei der Nebelkammer vor. Nur dienen hier die von α- oder β-Teilchen erzeugten Ionen – und nicht Rauchteilchen – als Kondensationskeime.

A 3: Man bestimmt zunächst die Nullrate und stellt dann das radioaktive Präparat vor das Zählrohr. Dann bringt man nacheinander Papier (80 g/m^2), 5 mm dickes Aluminium und möglichst dickes Blei zwischen Präparat und Zählrohr. Jedes Mal misst man die Zählrate. Sinkt z. B. die Zählrate sehr deutlich mit einem Papier zwischen Präparat und Zählrohr (geht aber nicht auf die Nullrate zurück), sendet das Präparat α-Strahlung aus. Bringt man zusätzlich noch 5 mm Aluminium in den Strahlengang und ändert sich dadurch die Zählrate fast nicht mehr, sendet das Präparat neben der α- auch noch γ-Strahlung aus.

A 4: Co-60 sendet aufgrund der Versuchsergebnisse β- und γ-Strahlung aus. Da γ-Strahlung erst nach einem β-Zerfall auftritt, könnte Co-60 nach folgendem Schema zerfallen:
$$^{60}_{27}\text{Co} \xrightarrow{\beta} {}^{60}_{28}\text{Ni}^* \xrightarrow{\gamma} {}^{60}_{28}\text{Ni}.$$

In Wirklichkeit gibt es nach dem β-Zerfall von Co-60 eine γ-Kaskade von zwei hintereinander stattfindenden γ-Zerfällen:
$$^{60}_{27}\text{Co} \xrightarrow{\beta} {}^{60}_{28}\text{Ni}^* \xrightarrow{\gamma_1} {}^{60}_{28}\text{Ni}^* \xrightarrow{\gamma_2} {}^{60}_{28}\text{Ni}.$$

A 5:
$$^{16}_{7}\text{Ni} \xrightarrow{\beta} {}^{16}_{8}\text{O};$$

$$^{214}_{84}\text{Po} \xrightarrow{\alpha} {}^{210}_{82}\text{Pb} \xrightarrow{\beta} {}^{210}_{83}\text{Bi} \xrightarrow{\beta} {}^{210}_{84}\text{Po} \xrightarrow{\alpha} {}^{206}_{82}\text{Pb};$$

Bi-212 kann sowohl einen α- als auch einen β-Zerfall durchführen. Der Endkern ist aber immer Pb-208.
Erste Möglichkeit: $^{212}_{83}\text{Bi} \xrightarrow{\beta} {}^{212}_{84}\text{Po} \xrightarrow{\alpha} {}^{208}_{82}\text{Pb}$;
Zweite Möglichkeit: $^{212}_{83}\text{Bi} \xrightarrow{\alpha} {}^{208}_{81}\text{Tl} \xrightarrow{\beta} {}^{208}_{82}\text{Pb}$.

$$^{239}_{92}\text{U} \xrightarrow{\beta} {}^{239}_{93}\text{Np} \xrightarrow{\beta} {}^{239}_{94}\text{Pu} \xrightarrow{\alpha} {}^{235}_{92}\text{U};$$

es schließt sich die Zerfallsreihe von U-235 an (Aufgabe 6, Seite 307).

A 6: $m = (3300/3{,}7 \cdot 10^{10})$ g $= 8{,}9 \cdot 10^{-8}$ g $\approx 0{,}1$ µg.

A 7: a) $^{90}_{39}\text{Y} \xrightarrow{\beta} {}^{90}_{40}\text{Zr}$;

b) 8 d = 192 h = 3 $T_{1/2}$. Also sind 87500 Kerne zerfallen.
c) Nach 7 Halbwertszeiten, also nach 448 h = 18,7 d, ist die Aktivität auf unter 1% gesunken.

A 8: Po-210 hat die Halbwertszeit $T_{1/2} = 138$ d. 2 Jahre sind also etwa 5 Halbwertszeiten. Somit war die Aktivität des Po-210-Präparates vor 2 Jahren:
$3 \cdot 10^3$ Bq $\cdot 2^5 = 9{,}6 \cdot 10^4$ Bq $\approx 10^5$ Bq.

A 9: Mit einem Schaubild findet man $T_{1/2} = 38$ s (Ne-23).

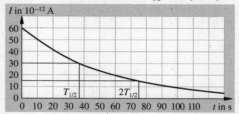

RADIOAKTIVITÄT UND KERNPHYSIK

A 10: Das Präparat sendet α-Strahlung aus, da die Strahlung in Luft eine Reichweite von maximal 6,5 cm hat.

Die α- Strahlung besteht aus α-Teilchen mit 3 verschiedenen Energien. Die α-Teilchen mit der geringsten Energie kommen in Luft 1,5 cm weit, die mit der zweithöchsten Energie 3,9 cm und die energiereichsten 6,5 cm (nicht berücksichtigt ist dabei, dass die α-Teilchen die Präparatabdeckung und das Zählrohrfenster durchdringen müssen).

Man vergleiche dazu das Bild zu Versuch 1 auf Seite 300 im Buch. Dort sendet das Präparat α-Teilchen mit zwei verschiedenen Energien aus. α-Teilchen breiten sich so lange geradlinig aus, bis ihre Energie durch Ionisationsprozesse aufgebraucht ist.

A 11: Rn-222 hat eine sehr viel größere Halbwertszeit als Rn-220 (Rn222: $T_{1/2} = 3,825$ d; Rn-220: $T_{1/2} = 55,6$ s). Die Konzentration von Rn-222 im Raum ist deshalb sehr viel größer als die von Rn-220. Damit bewirkt Rn-222 die größere Strahlenexposition.

A 12: Die *Energiedosis* gibt die absorbierte Energie pro kg Körpergewicht an. Ihre Einheit ist 1 J/kg.

Die *Äquivalentdosis* berücksichtigt zusätzlich die biologische Wirksamkeit einer Strahlung durch Hinzufügen eines Faktors zur Energiedosis (z. B. für α-Strahlung: Faktor 20, β-, γ- und Röntgenstrahlung: Faktor 1). Ihre Einheit ist 1 Sv = 1 J/kg.

Die *effektive Dosis* berücksichtigt zusätzlich noch die spezifische Strahlungsempfindlichkeit der Organe des menschlichen Körpers durch einen weiteren Faktor. Ihre Einheit ist ebenfalls 1 Sv.

A 13: Der Pilot erfährt in einer Stunde eine Strahlenexposition von 35 mSv/(365 · 24) ≈ 0,004 mSv. Für seine gesamte Flugzeit pro Jahr ergibt sich daraus:

0,004 mSv · 30 h · 52 = 6,24 mSv.

Die durchschnittliche Strahlenexposition eines Menschen durch zivilisatorische Strahlenquellen beträgt pro Jahr 1,6 mSv. Die zusätzliche Belastung des Piloten ist also fast viermal so groß.

A 14: In einer Neutronenquelle beschießt man Berylliumkerne mit α-Teilchen. Es entstehen C-12-Kerne und Neutronen. Es gilt die folgende Reaktionsgleichung:

$${}^{9}_{4}\text{Be} + {}^{4}_{2}\text{He} \longrightarrow {}^{12}_{6}\text{C} + {}^{1}_{0}\text{n} \,.$$

A 15: Die Reaktionsgleichung lautet:

$${}^{235}_{92}\text{U} + {}^{1}_{0}\text{n} \longrightarrow {}^{137}_{55}\text{Cs} + {}^{96}_{37}\text{Rb} + 3\,{}^{1}_{0}\text{n} \,.$$

A 16: U-238 wird durch Aufnahme eines Neutrons zu U-239. U-239 ist radioaktiv. Durch β-Zerfall entsteht Np-239. Np-239 ist ebenfalls ein β-Strahler, wird also zu einem Pu-239-Kern.

A 17: In den Brennstäben befindet sich natürliches Uran, das um 3% mit U-235 angereichert ist. U-235 ist der eigentliche „Brennstoff". U-235 zerfällt durch Beschuss mit langsamen Neutronen. Seine Konzentration wird also ständig geringer. Schließlich reicht die Zahl der noch vorhandenen U-235-Kerne nicht mehr aus, die Kettenreaktion aufrecht zu halten.

A 18: Nach der Entnahme der Brennelemente aus dem Reaktorkern werden sie im Kernkraftwerk in Abklingbecken etwa ein Jahr zwischengelagert In dieser Zeit klingt die Aktivität der kurzlebigen Zerfallsprodukte bereits erheblich ab. Anschließend gibt es zwei Möglichkeiten des weiteren Vorgehens:

1. Die unmittelbare *Endlagerung* der Brennelemente an geeigneten Orten, z. B. in Salzstöcken, und

2. die *Wiederaufbereitung* der Brennelemente in Wiederaufbereitungsanlagen. Dort trennt man U-235 und Pu-239 ab und verarbeitet sie zu neuen Brennelementen. Der restliche Abfall wird dann ebenfalls in ein Endlager transportiert.

Seite 333

A 1: Die Sonne strahlt Energie ein, im Wesentlichen in Form von sichtbarem Licht. Die Atmosphäre ist dafür weitgehend durchlässig. Die Erde strahlt die empfangene Energie in Form von IR ($\lambda_{max} = 10 \ \mu m$) wieder ab (Strahlungsgleichgewicht). Spurengase wie H_2O, CO_2, CH_4, u. a. absorbieren IR und strahlen es z. T. zur Erde zurück. Die Erde empfängt daher mehr Strahlungsenergie, was zur Erhöhung der Temperatur führt (um 33 K).

A 2: s. Bild auf Kapiteleinstiegsseite (S. 325).

A 3: Durch Abbrennen der Urwälder wird zusätzlich CO_2 frei gesetzt; die Nachfolgevegetation kann wesentlich weniger CO_2 binden. Dadurch wird der anthropogene Treibhauseffekt verstärkt.
Außerdem hat das Abholzen weitere Folgen: Auslaugung der Böden, Bodenerosion, Versteppung.

A 4: Durch Freisetzung des Methans erfolgt eine weitere Verstärkung des Treibhauseffekts, d. h. eine weitere Temperaturerhöhung und damit verstärkte Methanfreisetzung (Rückkopplungseffekt).

A 5: Die Auswirkungen werden noch diskutiert:
Ein höherer Gehalt an H_2O in der Atmosphäre könnte zu einer Verstärkung des Treibhauseffekts führen.
Mehr Wolken vergrößern die Albedo der Erde. Die Erde empfängt weniger Energie – die Temperatur würde sinken.

Seite 339

A 1: Die Energiegewinnung aus Sonne und Wind ist abhängig von der Jahreszeit und vom Wetter.

A 2: Gebiete mit möglichst regelmäßigem und starkem Wind, z. B. Küsten, Gipfellagen der Mittelgebirge.

A 3: Es kommt auf die Geschwindigkeit *und* die Dichte des strömenden Mediums an ($W = \frac{1}{2} m v^2$). Kalte Luft hat eine größere Dichte als warme.

A 4: a) Es gibt mehrere Gründe:
1. Jahreszeitliche Schwankung der Einstrahlung.
2. Schwankung im Tagesverlauf.
3. Der Einfallswinkel der Strahlung ändert sich im Verlauf des Tages und Jahres – optimale Absorption gibt es bei senkrechtem Einfall.
b) $1,3 \cdot 10^9$ W/(150 W/m^2) = $0,87 \cdot 10^7$ m^2 = 8,7 km^2.
c) Wegen täglicher, jahreszeitlicher und wetterbedingter Schwankung der Einstrahlung. Bei fest stehenden Absorbern ist der optimale Einfallwinkel nur während weniger Stunden gegeben. Dadurch ergibt sich ein 15facher Flä-

chenbedarf, um im *Mittel* die gleiche Energie bereit zu stellen wie ein KKW-Block.

A 5: Die Reserven an Erdgas betragen etwa 1/100 der Kohlereserven, die Reichweite ist also sehr kurz (60 statt 380 Jahre).

Vertiefende Mechanik

Seite 345

A 1: Für Radius r_2 und Zugkraft $\vec{F}_2$ muss gelten:
$F_2 \cdot r_2 = M_2 = 9{,}0$ Ncm; Beispiele für $(F_2; r_2)$:
(4,5 N; 2,0 cm), (3,6 N; 2,5 cm), (2,5 N; 3,6 cm),
(1,8 N; 5,0 cm), (1,5 N; 6,0 cm), (1,0 N; 9,0 cm).

A 2: Bild 1b, Seite 344 stellt drei verschiedene Zugkräfte dar: Jede von ihnen kann das Drehmoment der Last ausgleichen, denn es kommt auf das übereinstimmende Produkt aus Kraftbetrag und Radius an. Hier haben die Kräfte gleiche Beträge und die Kraftarme gleiche Länge – auf die unterschiedlichen Richtungen kommt es dafür nicht an.

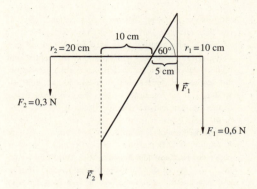

Seite 347

A 1: Mit $M = F_1 \cdot r_1 = F_2 \cdot r_2 = (\frac{1}{4} F_1) \cdot (4 r_1)$ und
$r_1 + r_2 = 2{,}00$ m, d. h. $r_1 + r_2 = r_1 + (4 r_1) = 2{,}00$ m
ergibt sich: $r_1 = \frac{1}{5} \cdot 2{,}00$ m $= 0{,}40$ m.

A 2: Die Messpunkte liegen auf einem Hyperbelast. Alle Rechtecke, die im Diagramm von den Achsen aus bis zu den Messpunkten gebildet werden, haben gleichen Flächeninhalt, denn alle Produkte $F_2 \cdot r_2$ sind gleich groß.

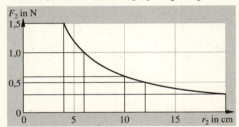

A 3: Aus $F_1 \cdot r_1 = F_2 \cdot r_2$ folgt durch äquivalente Umformung $F_1 : F_2 = r_2 : r_1$.
Das Verhältnis der Kräfte ist gleich dem umgekehrten Verhältnis der zugehörigen Kraftarme.

A 4: Da Pia *leichter* ist, gehört zu ihr der *größere* Kraftarm: $r_{Pia} = 3{,}0$ m. Es gilt: $F_{Pia} \cdot r_{Pia} = F_{Ria} \cdot r_{Ria}$, mit $F = m \cdot g$.
Also: 52 kg $\cdot g \cdot 3{,}0$ m $= m_{Ria} \cdot g \cdot 2{,}6$ m;
folglich ist: $m_{Ria} = 52$ kg $\cdot 3{,}0$ m$/2{,}6$ m $= 60$ kg.

A 5: Trotz der Schräglage des Hebels bleiben die Kräfte gleich und auch ihre Wirkungslinien senkrecht; folglich bleiben die Kraftarme waagerecht, jedoch werden sie verkürzt, und zwar beim Winkel 60° genau auf die Hälfte ihrer ursprünglichen Länge. Daher verkleinern sich die Drehmomente ebenfalls auf die Hälfte:
$M_{60°} = 3{,}0$ Ncm.

A 6: a) Größtmöglicher Kraftarm (etwa Türbreite): So erhält eine bestimmte Kraft das größtmögliche Drehmoment.
b) Kraftarm 0 m: Mit jeder beliebigen Kraft kommt für das Drehmoment nur der Wert 0 Nm zustande.
c) Kraftarm zwischen Fall a) und Fall b): Im Vergleich zum Fall a) ergibt die gleiche Kraft ein kleineres Drehmoment – ein gleiches Drehmoment erfordert größere Kraft.

A 7: Das Rad im Versuch 1, Seite 346 hat ein quadratisches Punktraster; die Rastereinheit ist 3 cm. Punkt C ist ein Rasterpunkt. Wenn die Kraft in C zur Waagerechten umgelenkt wird, so erhält ihre dann waagerechte Wirkungslinie von der Drehachse einen Abstand von 2 Rastereinheiten, also 6 cm. Die zugehörige Kraft beträgt nun 51 Ncm/6 cm = 8,5 N.

Seite 349

A 1: *Pinzetten* wirken wie einseitige Hebel, *Zangen* sind dagegen zweiseitige Hebel. Das Verhältnis der Kräfte wird durch das Verhältnis der Kraftarme bestimmt.
Bei *Pinzetten* greift die Hand mit dem kleineren Kraftarm. Sie braucht eine größere Kraft, dafür einen kürzeren Weg.
Bei *Zangen* hat der Griff den größeren Kraftarm: Die Hand braucht eine kleinere Kraft, der Kraftweg ist länger.

A 2: Beim Schneidevorgang bewegt sich die Schnittstelle von der Drehachse fort, der Kraftarm auf der Kartonseite wird dadurch größer – der Kraftarm der Hand wird im Verhältnis dazu kleiner, also muss die Hand eine immer größer werdende Kraft aufbringen.

A 3: Zum Zerbrechen eines Streichholzes ist ein bestimmtes Drehmoment erforderlich. Zu Anfang ist der Kraftarm verhältnismäßig groß – zum Zerbrechen genügt eine relativ kleine Kraft. Dann wird der Kraftarm kürzer – die Finger müssen nun eine immer größer werdende Kraft aufbringen.

A 4: Aus der Tatsache, dass auf beiden Seiten gleich viel Gewichte hängen, auf den Gleichgewichtszustand zu schließen, wäre möglich, falls die Kraftarme gleich groß wären. Dies ist jedoch nicht der Fall. Auf der rechten Seite führt erst die Summe der Drehmomente aus Einzelkräften mit bestimmten, unterschiedlichen Kraftarmen zum Momentenausgleich – und der ist ohne Berücksichtigung der Kraftarme nicht selbstverständlich. Anna hat Recht.

A 5: Die Länge des Kraftarms der Muskelkraft, also der Abstand ihrer Wirkungslinie von der Drehachse, steht zur Länge des Kraftarms der Federkraft im Verhältnis von etwa 1 : 9. Also ist die Kraft des Beugemuskels 9-mal so groß wie die Kraft der Hand. Die kleinere Kraft der Hand soll jedoch einen großen Weg ausführen, und das wird mit einer relativ kleinen Verkürzung des Muskels ermöglicht.

A 6: Das Drehmoment am Schraubenschlüssel beträgt $M_1 = 5{,}4$ Nm. Für die Drehmomente an der Flügelmutter gilt $M_2 + M_3 = M_1$. Wegen $M_2 = M_3 = 0{,}5 \cdot 5{,}4$ Nm $= 2{,}7$ Nm folgt (mit $r_1 = r_2 = 0{,}03$ m): $F_2 = F_3 = 90$ Nm.

A 7: Sicheres Lenken erfordert, dass die Armmuskeln ein großes Drehmoment bewirken können; der verfügbare Kraftarm – der Lenkradradius – sollte daher genutzt werden. Ein Zugriff am Mittelteil verkürzt den Kraftarm. Fahrschulen empfehlen: Zugriffe der Hände stets rechts und links außen! So kommen die Beugemuskeln am besten zur Wirkung.

Seite 353

A 1: a) Für die ersten 50 m benötigt der Spaziergänger 50 m/(0,5 m/s) = 100 s, dann steht er 60 s und läuft anschließend 100 s weiter. Es handelt sich in den einzelnen Abschnitten um eine gleichförmige Bewegung.

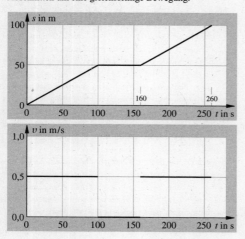

b) Die mittlere Geschwindigkeit beträgt $\bar{v} = 100$ m/260 s $= 0{,}38$ m/s.

A 2: a) Der Lkw fährt etwa mit 80 km/h, also ist der zurückgelegte Weg 80 km/h $\cdot$ 0,5 h = 40 km.
b) Der Lkw befand sich vielleicht im Stadtverkehr, wo er ständig anhalten und wieder anfahren musste.

Seite 359

A 1: Die Aussage bedeutet: Man muss den Zahlenwert für die Geschwindigkeit, angegeben in km/h, durch 3,6 dividieren, um den entsprechenden Zahlenwert in m/s zu erhalten. In der Regel werden Rechnungen mit v in m/s durchgeführt.
Man kann es nachprüfen:
$$1\,\frac{\text{km}}{\text{h}} = \frac{1000\,\text{m}}{60 \cdot 60\,\text{s}} = \frac{1000}{3600} \cdot \frac{\text{m}}{\text{s}} = \frac{1}{3{,}6}\,\frac{\text{m}}{\text{s}}.$$

A 2: 50 km/h $= (50/3{,}6)$ m/s $= 13{,}9$ m/s;
Das t-v-Diagramm ist eine Gerade mit negativer Steigung: $-(2{,}5\,\text{m/s})/\text{s} = -2{,}5\,\text{m/s}^2$.
Dem Diagramm entnimmt man die Zeit für den Bremsvorgang. Man erhält $t_B = 5{,}53$ s
(gerechnet: 13,9 m/s + $(-2{,}5\,\text{m/s}^2) \cdot t_B = 0$, $t_B = 5{,}56$ s).

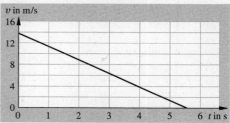

Der Bremsweg ist gegeben durch:
$$s_B = \frac{1}{2} \cdot 13{,}9\,\frac{\text{m}}{\text{s}} \cdot 5{,}56\,\text{s} = 38{,}6\,\text{m}.$$

A 3: $v = 100$ km/h $= 27{,}8$ m/s;
Reaktionsweg: $s_R = 27{,}8$ m/s $\cdot$ 0,5 s $= 13{,}9$ m.
Bremszeit: 27,8 m/s $+ (-4\,\text{m/s}^2) \cdot t_B = 0$, $t_B = 6{,}95$ s.
Bremsweg: $s_B = \frac{1}{2} \cdot 27{,}8\,\frac{\text{m}}{\text{s}} \cdot 6{,}95\,\text{s} = 96{,}5$ m.
Anhalteweg: $s_A = 13{,}9$ m $+ 96{,}5$ m $= 110{,}4$ m.
Der Anhalteweg reicht bei dieser Geschwindigkeit bei weitem nicht mehr aus!

Seite 361

A 1: $r_1 = 0{,}4$ cm, $r_2 = 1{,}2$ cm, also $r_1 : r_2 = 1 : 3$;
wegen $M_1 = M_2$ gilt: $F_1 \cdot r_1 = F_2 \cdot r_2$, also ist
$F_1 : F_2 = r_2 : r_1 = 3 : 1$.

Vorteil: Geringerer Kraftaufwand zum Halten der Last.
Nachteil: Längerer Kraftweg beim Heben der Last.
Möglichkeiten für $r_1 : r_2$ (mit Angabe von F_2):
1 : 1 (9 N); 1 : 2 (4,5 N); 1 : 3 (3 N);
2 : 1 (18 N); 2 : 2 (9 N); 2 : 3 (6 N);
3 : 1 (27 N); 3 : 2 (13,5 N); 3 : 3 (9 N).

A 2: Beim Übereinanderwickeln des Seils entsteht ein größerer Kraftarm an der Seiltrommel. Die Last übt damit ein größeres Drehmoment auf die Seiltrommel aus.

A 3: Das Drehmoment auf die Scheibe ist das Produkt aus Kraftarm und dem Betrag der angreifenden Kraft. Der Kraftarm ist aber gerade der Abstand der Drehachse von der Wirkungslinie der Kraft.
Verschiebt man den Angriffspunkt der Kraft längs der Wirkungslinie, so ändert das am Kraftarm und damit am Drehmoment nichts.

A 4: Das Drehmoment beschreibt das Drehvermögen der Kraft vom Betrag F, die mit dem Kraftarm r wirkt. Kraftarm und Kraft stehen *senkrecht* zueinander.
Zum Heben einer Last (Gewichtskraftbetrag G) um die Höhe h ist die Energie $G \cdot h$ nötig. Dabei wirkt eine Kraft mit $F = G$ längs des Weges h.
Der Hebel ist ein Kraftwandler, er gibt die Energie unverändert weiter.

Beispiel: $G_L = 1$ kN, $r_L = 0,4$ m: $M_L = 400$ Nm;
$r_Z = 2,0$ m, wegen $M_L = M_Z$ folgt $F_Z = 200$ N;
die Last soll um $h = 20$ cm angehoben werden, dazu braucht man die Energie $W_L = G_L \cdot h = 200$ Nm;
auf der Zugseite muss man die gleiche Energie aufbringen, aber mit geringerer Kraft, dafür mit größerem Kraftweg s_Z: 200 Nm $= F_Z \cdot s_Z$, also $s_Z = 1$ m ($= 5 \, h$).

A 5: Aus $P = 1$ kW in 1 s ergibt sich die Energie $W = 1$ kWs $= 1000$ Nm. Mit $s = 1$ m erhalten wir für den Kraftbetrag F_2: $F_2 = 1000$ N. Nun ist

$\dfrac{r_1}{r_2} = \dfrac{2}{5} = \dfrac{F_2}{F_1} = \dfrac{1000 \text{ N}}{F_1}$, also $F_1 = \dfrac{5}{2} \cdot 1000$ N $= 2500$ N.

Der Motor greift am äußeren Umfang ($2 \pi r_2$) an. Er dreht das Rad in 1 s um 1 m.
Die Last hängt an der Scheibe mit dem Radius $r_1 = 0,4 \, r_2$.
Ihre Geschwindigkeit ist also 0,4 m/s.

A 6: a) Bei einer gleichmäßig beschleunigten Bewegung mit der Anfangsgeschwindigkeit null entspricht der gesamte zurückgelegte Weg dem Flächeninhalt des Dreiecks im t-v-Diagramm.
b) Die mittlere Geschwindigkeit ist halb so groß wie die Endgeschwindigkeit. Die mittlere Geschwindigkeit $\bar{v}$ ist eine Parallele zur t-Achse, sodass der Flächeninhalt des Rechtecks aus dem Zeitintervall und $\bar{v}$ gleich groß ist wie der des Dreiecks.

A 7: Die Geschwindigkeitsänderung ist
$\Delta v = 64$ km/h $= 17,8$ m/s, also ist $a = \Delta v/10$ s $= 1,78$ m/s^2.

A 8: a Es ist $v = 72$ km/h $= 20$ m/s. Nach $v = a \cdot t$ ergibt sich $a = (20$ m/s$)/10$ s $= 2$ m/s^2.
b) $s = \frac{1}{2} a \cdot t^2 = 100$ m.

A 9: Aus $s = \frac{1}{2} a \cdot t^2$ folgt die Beschleunigung
$a = 2 s/t^2 = 2 \cdot 50$ m$/(10$ s$)^2 = 1$ m/s^2.
Geschwindigkeit nach 10 s:
$v = a \cdot t = 1$ m/s$^2 \cdot 10$ s $= 10$ m/s.
Die Durchschnittsgeschwindigkeit ist
$\bar{v} = \frac{1}{2} \cdot 10$ m/s $= 5$ m/s.

A 10: a) Nach 5 s hat es den Weg
$s_1 = \frac{1}{2} a \cdot t^2 = \frac{1}{2} \cdot 2$ m/s$^2 \cdot (5$ s$)^2 = 25$ m zurückgelegt.
Die Geschwindigkeit ist $v = a \cdot t = 2$ m/s$^2 \cdot 5$ s $= 10$ m/s.
b) Der zurückgelegte Weg in den nächsten 10 s beträgt
$s_2 = v \cdot t = 10$ m/s $\cdot 10$ s $= 100$ m.

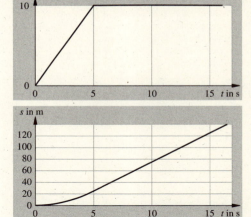

A 11: In der zweiten Sekunde ist der zurückgelegte Weg
$s_2 - s_1 = \frac{1}{2} \cdot 2$ m/s$^2 \cdot ((2$ s$)^2 - (1$ s$)^2) = 3$ m.
Man müsste die Durchschnittsgeschwindigkeit im Intervall zwischen 1 s und 2 s nehmen, um den im Zeitintervall zurückgelegten Weg zu bestimmen.

A 12: Aus $s = \frac{1}{2} a \cdot t^2$ und $v = a \cdot t$ ergibt sich $s = v^2/2 a$ oder für die Beschleunigung
$a = v^2/2 s = \frac{1}{2} \cdot (400$ m/s$)^2/0,15$ m ≈ 533000 m/s^2.
Zeit für den Beschleunigungsvorgang: $t = v/a = 0,00075$ s.
Die mittlere Geschwindigkeit ist halb so groß wie die Endgeschwindigkeit, also $\bar{v} = 200$ m/s.

A 13: a) Für einen frei fallenden Körper ist $v = g \cdot t$. Die Zeit, nach der er die Geschwindigkeit 10 m/s erreicht hat, ist $t = v/g = (10 \text{ m/s})/(9{,}81 \text{ m/s}^2) = 1{,}02$ s.

b) Die Zeit für den Fallweg 5 m ist $t = \sqrt{2\,s/g} = 1{,}01$ s.

c) Für den doppelten Weg benötigt der Körper 1,43 s.

A 14: Die Geschwindigkeit $v = 108$ km/h $= 30$ m/s erreicht das Auto nach $t = v/g = 3{,}06$ s. Es müsste somit aus der Höhe $h = \frac{1}{2}\,g \cdot t^2 = 45{,}9$ m frei fallen.

A 15: Die Reaktionszeit beträgt

$$t = \sqrt{2\,s/g} = \sqrt{0{,}4 \text{ m}/\left(9{,}81 \text{ m/s}^2\right)} = 0{,}2 \text{ s}.$$

A 16: a) Die mittlere Geschwindigkeit des Autos ist 36 km/h $= 10$ m/s.

b) Es gilt $0 = 20 \text{ m/s} - a \cdot t_B$; daraus folgt für die Bremszeit: $t_B = \dfrac{20 \text{ m/s}}{a}$. Für den Bremsweg gilt also:

$$s_B = \overline{v} \cdot t_B = 10 \text{ m/s} \cdot \frac{20 \text{ m/s}}{a} = \frac{200 \text{ m}^2/\text{s}^2}{a}.$$

$a = 2{,}5$ m/s^2: $s_B = 80$ m.

$a = 4{,}2$ m/s^2: $s_B = 47{,}6$ m.